JN092411

テイラー

－声をさがす物語－

みたらし加奈

HAGAZUSSA BOOKS

目次
Contents

Episode 1

旅のはじまり

The Beginning of the Journey

この世界には「絶対に踏み入ってはならない場所」というのがいくつかあることを、あなたは知っていますか？　私たちの住んでいる場所からずっとずっと西のほうには「たたり山」というそれは大きな山があって、一度踏み入ったら最後、人間は戻ってこられません。その山は天に届くほど高く、7合目あたりからは雲に覆われて真っ白になっています。そして山の全体は、ありとあらゆる緑に覆われていて、さまざまな種類の生き物が生きています。また、山に生い茂る木のほとんどには毒が含まれています。

しかし、そんなたたり山の珍しさに世界中の学者がひきつけられ、禁忌を犯して山に入っては何人もの人たちが消息を断ちました。なにかに襲われたのか、毒を口にしたのか、それとも方向感覚が狂って戻れなくなってしまったのか……その理由はわかりません。たたり山は天界と繋がっているため、恐ろしい魔物が棲んでいるという噂もありました。

さて、今からお話しするのは、私の親愛なる友人のテイラーの物語です。信じられないかもしれませんが、この物語の主人公であるテイラーは、この世に実在する

天使です。天使が存在するかどうかの議論は置いておいても、私にとってテイラーは本物の天使であり、それを疑ったことはありません。そしてテイラーは、神さまと仲間の天使たちと一緒に天界で暮らしていました。しかし我々が想像する「天使」とテイラーのイメージが合致するのはこの情報だけであって、テイラー自身はイメージするそれとはまったく違っています。

　まずは姿。「天使」といえば下の絵のようなものを想像すると思いますが、テイラーは生まれつき右の翼だけが小さく、そのためにほかの天使と同じように空を飛ぶことはできません。そしてテイラーの右側

てん・し【天使】
1 天界にあり、神の使者として人間に神意を伝えたり、人間を守護したりすると信じられるもの。ユダヤ教・キリスト教・イスラム教などに見られる。エンゼル。
2 心の清らかな、優しい人のたとえ。「白衣の天使」
3 天子の使者。勅使。

の翼には羽根が生えていません。しかしそれは生まれつきではなく、仲間から好奇の目で見られるうちに、テイラーがその羽根をすべてむしってしまったからでした。一本一本の美しい羽根は、むしられるたびに根本から血が流れ、その傷はやがて紫色のシミになる……私はテイラーからその話を聞いたとき、胸がチクッと痛くなりました。

話が少し逸れてしまいましたが、ほかにもテイラーには特徴があって、それは頭にかぶった大きな動物の頭蓋骨です。テイラーはいつもそれを深くかぶっています。テイラーの背丈よりも少し大きめのマントは、まるでテイラーを覆い隠す布のよう。マントの破れた隙間からは、テイラーの翼がのぞいています。手足は爪が伸びていて、それはそれは危ない武器にもなります。テイラーが大きく口を開けると、白くて小さな、ギザギザの歯が顔を出します。まるで天使ではないように……！

そしてなにより「天使」というイメージとかけ離れているのは、その〝こころ〟です。テイラーは天界一の暴れん坊で、相手が傷つくような言葉を選んで話しました。テイラーの羽根のない翼とその振る舞いを「悪魔のようだ」と揶揄する天使は多く、それを言われるたびにテイラーは悪魔のような振る舞いをするようになっていきました。時には「悪魔」と言われる前に、そう思われるような行動を起こそうとしていました。時には仲間を罵倒し、嘲笑し、あらゆるものを壊そうとしました。赤子が無邪気に虫を潰してしまうように、テイラーは自分の攻撃性を隠そうとはしませんでした。

初めは同情心から優しくしていた一部の天使たちも、だんだんとテイラーから距離を置くようになっていきました。そうなってくると、テイラーの行動はどんどんひどくなっていきます。一方的に誰かを傷つけたこともありました。

テイラーの暮らす天界にはたくさんの花が咲き誇っていて、どこを見渡しても美しい情景が目にとまります。そこにはさまざまな天使たちが楽しそうに暮らしていて、人間の住む世界と同じように街があって、お店があって、天使たちもおのおのの生活をしています。

しかし、テイラーはそんな美しい街の中ではなく、街外れにある大きな木の上にひとりぼっちで暮らしていました。木の上で眠り、目覚め、そしてお腹が空けば木の実を頬張りました。

ある夜テイラーがいつものように木で休んでいると、ズン、ズンという振動が体に響きました。テイラーが慌てて目を覚ますと、天使の何人かが木を切り倒そうとしていました。ノコギリを使って、ギコギコと木を傷つけていきます。

目を凝らして見ていると、以前テイラーが噛みついた天使がいることに気がつきました。

「おい！　なにやってるんだ！」

テイラーは木の下に下りて行き、怒鳴りました。

「テイラーが悪いんだぞ！　僕の腕にお前の歯形がついたんだ！」

天使は腕を捲し上げ、テイラーを突き飛ばします。

「暴れん坊のお前なんて、天界にいる資格はない！　神さまだってそう言ってたぞ！」

テイラーはムッとして言い返します。

「うそだ！　神さまはそんなことは言わない！」

するとテ使たちはくすくすと笑いだします。

「テイラー、それなら神さまに聞いてみればいいさ。お前が価値のある存在かどうかを」

「お前は天使としては不完全すぎるのさ」

そういって天使たちは羽ばたいていきました。

「さあ、飛んでごらん。そうして僕たちに噛みつけばいい」

テイラーは悔しくなって羽ばたこうとしますが、片方の羽だけでは飛ぶことはできません。天使たちは大声で笑いながら、月夜に消えていきました。

残されたテイラーは、こぶしで木を叩きました。するとその振動で、深い傷がついた木は大きく揺れます。テイラーは悲しい気持ちと怒りでいっぱいになりました。

そして、自分の価値について、神さまに尋ねるために神殿へと向かいました。

神殿は月明かりに照らされ、青白く浮き上がっています。そのあまりにもおごそかな空気にテイラーは身震いをしました。しかしいじわるな天使たちの声が、テイラーの頭の中でこだまします。

Episode 1　旅のはじまり

「暴れん坊のお前なんて天界にいる資格はない！　神さまだってそう言ってたぞ！」

「テイラー、それなら神さまに聞いてみればいいさ。お前が価値のある存在かどうかを」

「お前は天使としては不完全すぎるのさ」

テイラーは勇気を振り絞(しぼ)って神殿の中に足を踏み入れました。そして尋ねます。

「神さま、僕は不完全な存在でしょうか？」

〈神さま、僕は不完全な存在でしょうか？〉

テイラーの声がこだまするだけで、返事(へんじ)はありません。

「神さま、僕は価値のない存在でしょうか？」

〈神さま、僕は価値のない存在でしょうか？〉

再(ふたた)び、テイラーの声がこだまして戻ってきます。

テイラーはそのこだまを、神さまからの返事のように感じはじめていました。

——やっぱりそう思っているんだ……——

するとテイラーは、腹の底から強い怒りが込み上げてくるのがわかりました。そのまま神殿を見渡すと、あらゆる場所に美しい装飾品が飾られているのが目に入ります。祭壇には、はち切れそうなほどに身が詰まったフルーツや、あらゆる場所から贈られた珍しい装飾品たちが飾られています。テイラーはそれらを睨みつけながら思います。

——なにが神さまだ、僕がこんな目に遭っていても助けてはくれないじゃないか——

テイラーはその怒りを抑えることができず、祭壇上のありとあらゆる装飾品を壊していきました。大きな壺を遠くに投げると、弾けたような音が鳴ります。目につくものをすべて叩き割り、踏みつけ、強く投げつけます。割れたガラスの破片が、テイラーの体に刺さります。しかしテイラーは気にもとめません。大きな口を開けてフルーツを貪り、滴った汁や種は床を汚しました。割れた破片を手に取り、美しい絹の絨毯に突き刺します。

「僕は天使なんかじゃない！　天使なんかにはならない！」

テイラーがそう叫ぶと、背後（はいご）から地鳴り（じなり）のような声が尋ねてきました。

それは真の姿だろうか
望むならそうなっていく
いくらでも望みを叶えよう

「神さま、なぜ僕を悪魔として生みだしてくれなかったんでしょう。こんなにも醜（みにく）い翼（つばさ）を与えて！」
テイラーは絶叫（ぜっきょう）に近い声をあげました。

醜いのは翼ではない
きみの言葉はきみの言葉ではない
きみがきみの言葉を知るまで、きみには必要のないものがある

「わあああああああああああああああああ
あああああああ」

神さまの声が響き渡るのを聞きながら、テイラーはそれよりも大きな声を張り上げました。

しかしその瞬間、テイラーの喉に鋭い痛みが走り、テイラーは声を出すことができなくなってしまいました。あまりの出来事にテイラーは怒りを抑えきれないまま、さらに装飾品を空に投げ、暴れながら声にならない叫びをあげました。声を出そうとするたびに、喉には鋭い痛みが走り、空気が口から漏れていきます。テイラーは力いっぱい、声のするほうを睨みつけました。

言葉をとり戻したければ
世界を見て回ること
きみの知っている世界が
どんなに小さく限りがあるかを知ること
そうすれば言葉はきみのものになる
そのときにここでもう一度問うのだ

声がなくとも、想いを受け止め、伝えられることはある
言葉がなくとも、伝わること、伝えられることもある
今まで傷ついたこと、傷つけたこと、それを見つける旅に出るのだ

その言葉が終わったと同時に、テイラーの目の前は真っ暗になりました。次に目覚めたときには、テイラーはたたり山のてっぺんに倒れていたのです。目を開けた

Episode 1　旅のはじまり

テイラーに声は続けます。

拒み続ける者
盾を持たない者
価値がわからない者
呪いをかけられた者
選ぶことを諦めた者
受け入れられない者
自分を偽る者
言葉を持たない者
試練を与える者
許されない者

それらはきみでもあり、きみではない

その意味がわかるとき、扉は開いていく

なにを言われているのか、テイラーにはさっぱりわかりませんでした。むしろ望んでもいない旅に出されたことへの憤りでいっぱいでした。

——やっぱり神さまは僕を追い出したかったんじゃないか——

テイラーは神さまに文句を言ってやりたい気持ちでいっぱいでしたが、声を出すことができません。とにかくこの旅を終えないと、永遠に声は戻らない——そう察したテイラーは、立ち上がりました。するとどこからともなく現れた光の玉が、テイラーの周りをくるくると回りだします。

——見張られている——

テイラーは居心地(いごこち)の悪さを感じました。すると光はテイラーを導(みちび)くように、獣道(けものみち)を飛んでいきます。真っ暗な山の中に浮かぶ光を見つめながら、テイラーはこれから起こるであろう出来事に不安を抱きはじめていました。

——僕はなにをどうすればいいんだ！——

そして光の導き通り、テイラーは緑を掻き分け、たたり山を下りはじめました。マントが足に絡みつき、足の裏には小石が突き刺さります。鋭く伸びた枝は、テイラーのマントを破りました。テイラーは自分の体がまだこの世界に受け入れられていないことを感じ、怒りを抑えながら光を追いかけました。

Episode 2

拒み続ける者

The One Who Resists

テイラーは光を追いかけながら、たいそうお腹が空いていることに気がつきました。怒ったり悲しんだりしていても、お腹は空くものです。神殿の中でエネルギーを使い果たしてしまったのでしょう。しばらく獣道を歩いていると、大きな洞窟が見えはじめました。テイラーがその洞窟の前で立ち止まると、光は小さくなって消えていきます。

――ここになにかヒントがあるのかもしれない――

道標となっていた光が消えて不安に思ったテイラーでしたが、洞窟の中からなにやらおいしそうな香りがしてくるのがわかりました。

洞窟をのぞいてみると、そこには大きな釜がありました。釜の下の火はめらめらと燃えさかり、ぐつぐつと泡立つ中の液体からは、それはおいしそうな香りがしています。ぐう……と鳴るお腹の音を聞きながら、テイラーは大釜の中に指を突っ込むと、大きな口で舐め取りました。天使は熱さなんて感じません。

――おいしい!!――

テイラーは大釜を抱え込み、無我夢中でその液体を飲み込んでいきます。あっと

Episode 2　拒み続ける者

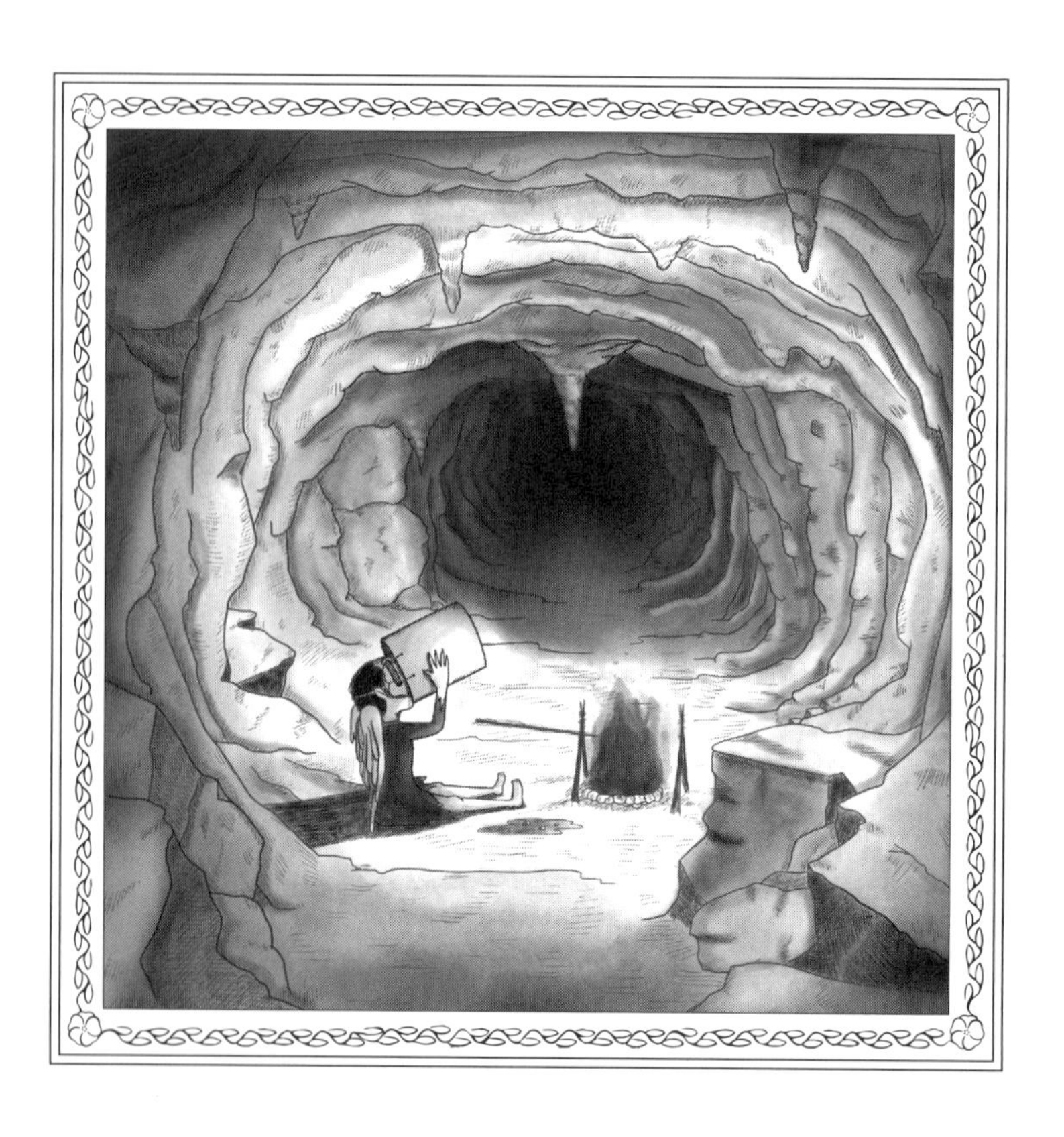

いう間に飲み干すと、テイラーは大釜を放り出して横になりました。重たいお腹が心地よく、だんだんとまぶたが落ちていきます。そのままテイラーは眠ってしまいました。

どれくらいの時間が経ったでしょうか。朝の光が差し込んできたころ、ぱちぱちとはじける炎の音と、おいしそうな香りでテイラーは目を覚ましました。

するとテイラーは、またお腹が空いていることに気がつきました。大釜の中身をのぞき込み、大きな口でその中のスープを飲み込みます。あっという間に飲み干すと、再び大釜を放り出し、寝そべりました。岩壁を見つめていると、頭の中にいじわるな天使たちの顔が浮かび、心がムカムカとしてきます。

——どうせ天界に帰っても腹が立つことばかりだし、ずっとここにいようかな——

カタカタッ

そんなふうに考えていると、洞窟の奥から物音が聞こえ、テイラーは慌てて振り返ります。

——なんだ！——

本当は叫び出したい気分でしたが、声にならない空気がテイラーの喉をかすめていきます。目を凝らしてみると、真っ暗な洞窟の中にふたつの黄色い目が浮かび上がるのが見えました。

そのふたつの目は、まばたきもせず、こちらをじっと見つめています。テイラーは恐ろしくなって身を硬くしました。

テイラーはいつでも戦えるように、四つん這いになって〝ソレ〟を睨みつけました。大きな口を開け、牙を見せつけます。テイラーにとってそれは精一杯の威嚇でした。

すると暗闇の奥からのそのそと、テイラーと同じくらいの背丈の生き物が顔を出しました。黄色くて大きな目は見開かれ、不安そうな表情をしています。テイラーと同じく、服は身の丈と合っていません。黒くてぼろぼろな服を引きずりながら〝ソレ〟はこちらへと歩いてきました。

テイラーがうなると、〝ソレ〟は半歩うしろに下がります。そして〝ソレ〟は紙の束のようなものになにか書いて、恐る恐るテイラーに渡してきました。そこには、こう書かれていました。

Episode 2　拒み続ける者

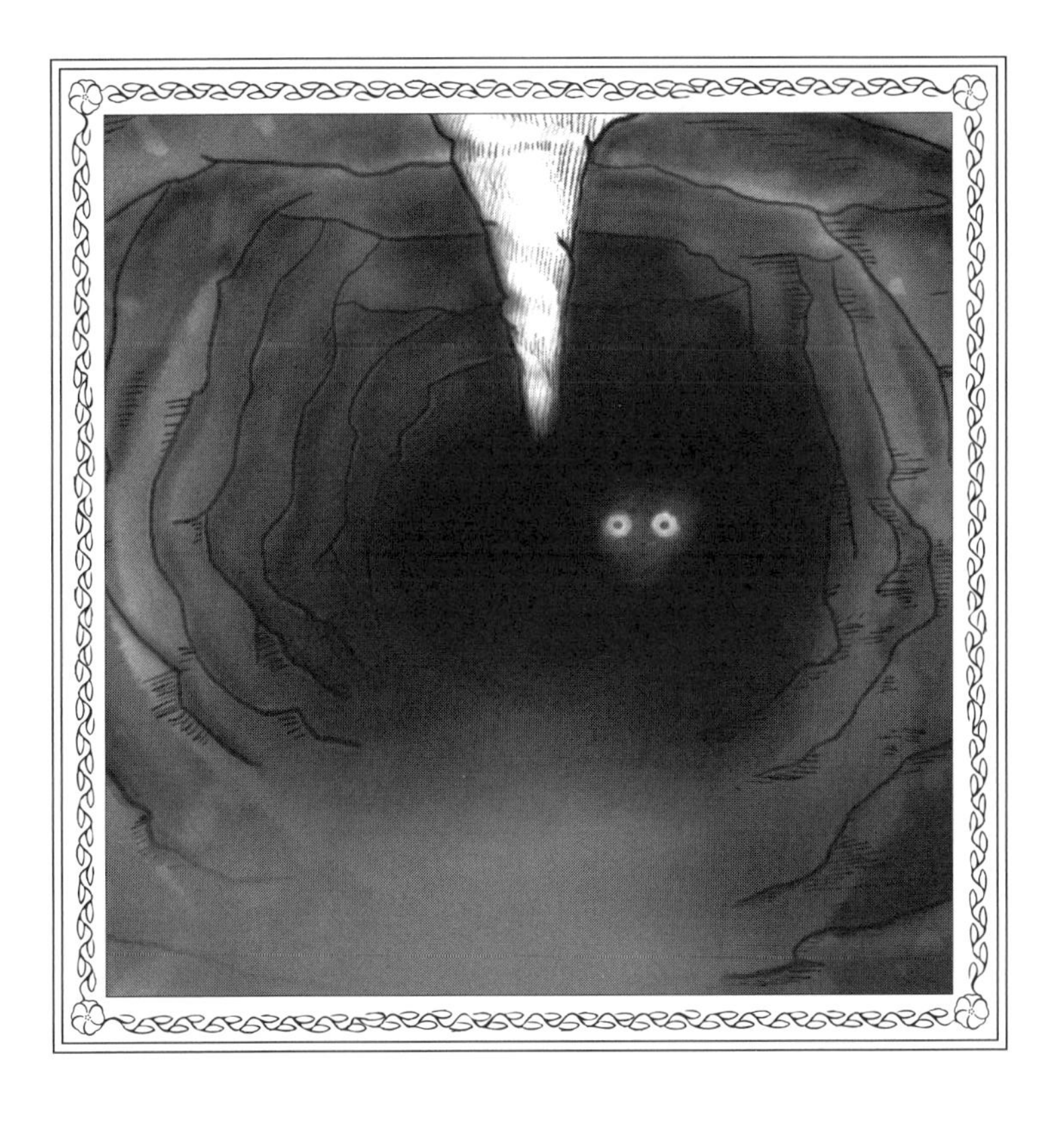

『きみはにんげん？　それともまもの？』

テイラーがうなると、〝ゾレ〟はまたなにかを書きはじめました。

『スープおいしかった？』

――あれはこの世界のスープだったのか――

テイラーはうなずき、くるりと背を向けます。すると〝ゾレ〟は、テイラーの顔の前に回ってきて再びノートを見せます。

『ぼくはネモフィラ。きみは？』

テイラーはネモフィラの手を押しのけ、横になります。するとネモフィラは同じように寝そべり、テイラーに視線を合わせてきます。

テイラーは寝返りを打ち、ネモフィラに背を向けます。

――今はだれとも話したくない気分なんだ――

するとテイラーの気持ちを察したのか、ネモフィラは洞窟の奥へと戻っていきました。テイラーはホッとして、再び眠りへと落ちていきました。

✲

次に目を覚ますと、テイラーの目の前にはたくさんのごちそうが置かれていました。怪訝に思ったテイラーが周りを見渡すと、洞窟の奥から視線を感じました。目を凝らすと、黄色いふたつの目がこちらをのぞいています。

——なにかをたくらんでいるのか？　毒でも入っているのかもしれない——

テイラーは一旦様子を見ることにして、外に出ました。そして洞窟の中がよく見える丘の上からネモフィラの様子をうかがいます。

テイラーが洞窟を出てしばらくすると、ネモフィラはごちそうに近寄っていきます。そして悲しそうな表情でごちそうを食べはじめました。テイラーはその姿を見て少し胸が痛み、洞窟へと戻りました。

テイラーが戻ると、ネモフィラはうれしそうな顔でテイラーを手招きしました。

テイラーはネモフィラの隣に座り、大きな魚をつかむとがつがつと食らいついていきます。

『それはかわでとれたさかな』

ネモフィラは誇らしげにノートを見せてきます。テイラーはなんと反応をしていいのかわからず視線を落としました。

食べ終わったテイラーは洞窟を出ました。テイラーにはネモフィラからの親切を受け取る心の準備はできていませんでした。すっかり気まずくなったテイラーはあてもなく山の中を歩きます。

——この世界の木々は、天界よりもずっと濃い緑色をしている——

そう思いながら木々を眺めていると、小さな木の枝に紫色の実がなっているのが見えました。喉が渇いたテイラーは、その実に手を伸ばし、ひとつだけもぎとります。おいしそうに光る表面を見つめながら、テイラーは大きく口を開けました。

ドンッ
するとうしろから強い衝撃が走り、テイラーは倒れ込みました。慌てて振り返ると、ネモフィラがその実を持っていました。

——取ったな！——

Episode 2　拒み続ける者

テイラーはネモフィラにつかみかかります。しかしネモフィラは頑なにその実を離しません。テイラーとネモフィラはごろごろと転がりながら、取っ組み合いのように実を取り合いました。ネモフィラがテイラーのマントを引っ張ると、ビリッと大きな音を立ててマントが破けました。怒ったテイラーがネモフィラを引っ掻くと、細い引っ掻き傷ができました。ネモフィラは声にならない悲鳴をあげ、飛び退きます。

その隙にテイラーが実をつかもうとすると、ネモフィラは慌てて立ち上がり、その実を踏みつけました。テイラーは怒ってネモフィラの服をつかみました。するとネモフィラは息切れをしながら、紙になにかを書き込んでいます。

『これはどくがある』

テイラーはハッとしてネモフィラの服を離しました。ネモフィラはいじわるをしたかったわけではなかったのです。

『このやまはあぶないものがいっぱい』

どうしても聞きたいことがあったテイラーは、ネモフィラのペンを取り、紙に書き込みました。

『じゃあなぜここでくらしている？』

『まちはぼくのばしょじゃない。ここはあんぜん』

『ずっとひとりでくらしている？』

『そうだよ。だから、きみにあえてうれしい』

テイラーはまたなんと返事をしていいのかわからなくなって、うつむきました。するとネモフィラが書きだします。

『どこからきた？』

答えたくなかったテイラーはネモフィラを無視して、歩きだしました。ネモフィラはテイラーのあとを心配そうについてきます。

なんだかむしゃくしゃして、テイラーは道に咲く草花をちぎっては道に落としていきました。ネモフィラはそれらを拾いながらついてきます。

――へんなやつだな――

そう思いながら、テイラーは無意識のうちに自分が目覚めた場所へと向かっていきました。

――光の玉はどこへ行ったんだろう――

神さまはテイラーにヒントを用意してくれていたわけではありません。この旅に終わりがあるのか、テイラーは不安な気持ちでいっぱいになりました。

テイラーが途方に暮れて立ち尽くしていると、ネモフィラは紙に書き込みます。

『おなかすいた？』

テイラーがうなずくと、ネモフィラは背を向けて山を下ります。テイラーはおとなしくネモフィラのあとをついていきました。

洞窟に着くと、そこはあたたかくいい匂いが漂っています。ネモフィラはテイラーにスープの入った器を渡すと、テイラーの傷ついた足に緑色のものを塗りはじめました。テイラーがじっと見つめていると、ネモフィラは紙になにかを書きはじめます。

『これはよもぎ。きずをなおしてくれる』

テイラーはスープの器を置き、よもぎのペーストをすくい上げると、ネモフィラの顔につけました。テイラーも紙に書きだしました。

『ひっかいてごめん』

ネモフィラはにっこり笑いました。テイラーは久しぶりに誰かの笑顔を見た気がして、胸の奥がむず痒（がゆ）くなる気持ちに襲（おそ）われました。

『なんでやさしくしてくれるの？』

テイラーが書き込むと、ネモフィラは答えます。

『いじわるされたらさみしい』

テイラーは顔をしかめながら書き込みます。

『いじわるされたらいじわるをしかえせばいい』

『ぼくはいじわるにはなりたくない』

『ネモフィラはやさしくされたいから、やさしくするのかい？』

『きみにやさしくされなくても、きみがおなかがすいているならごはんをつくるし、こごえているならもうふをかける』

『そんなことをしたら、いじわるなやつらにくわれるだけだよ。ぼくがわるものだったらどうするんだい』

ネモフィラは黙（だま）ってうつむきました。そして困ったような顔で書き込みます。

『ぼくはやさしくしたいひとにやさしくしているだけ』

テイラーは意味がわからないまま、スープを喉に流し込みました。

お腹がいっぱいになったテイラーが横になっていると、マントの裾が引っ張られているのに気がつきました。

『マントがやぶけている』

テイラーはネモフィラの手からマントの裾を引き抜きました。

『ぼくにしゅうりさせて』

テイラーは首を横に振ります。するとネモフィラは焚き火の前に座って何かを編みはじめました。その様子を眺めながら、テイラーは眠りにつきました。

✵

目を覚まし、洞窟の中を見渡すと、テイラーの横には花束と黒いマントが置かれていて、その上には手紙が添えられていました。

きみがつんだくさばなと、あたらしいマント。

しばらくすると、ネモフィラは大きな魚を引きずりながら、洞窟へ戻ってきました。そして大釜を取り出し、水と魚以外にもさまざまなものを投げ入れ、ひと煮立(にだ)ちさせます。その間、ネモフィラはテイラーに尋(たず)ねます。

『きみはどこかにむかっているの？』

テイラーは答えます。

『ぼくはたびにでなきゃいけない』

『ゴールはある？』

『かみさまにこえをうばわれたんだ』

『じゃあもんくをいいにかえらないと』

『ぼくはぼくをみつけるまでかえれないんだ』

『じゃあいろんなひとにあわないと』

『どうして？』

『ぼくがきみのなかにじぶんをかんじたように、きみはきみのなかだけにいるんじゃない』

テイラーは意味がよくわかりませんでした。詳(くわ)しく尋ねようとすると、大釜のスープが吹きこぼれ、ネモフィラは慌てて水を足しに行きます。そして今度は、洞窟の奥から何かを持って出てきました。

『これはなに？』

『ずっともってたんだけど、もうぼくにはひつようないから』

ネモフィラは書きながらテイラーに金貨(きんか)を渡しました。テイラーは首を横に振りながら、ネモフィラにそれを返そうとしました。しかしネモフィラは頑(かた)くなに受け取ろうとしません。しびれをきらしたテイラーは、金貨を洞窟の奥に投げました。

ネモフィラは少しだけ寂しそうな顔をすると、大釜のところに行きました。そして器にスープを取り分け、テイラーに渡します。

テイラーは器を受け取ると、スープを一気に飲み干しました。ネモフィラはなにかを書き込んでいます。

『きみはもういなくなる？』

『もういかなきゃ』

『じゃあこれをあげる』

ネモフィラはノートとペンをテイラーに渡します。

『これはノート。こうするとあたらしいかみがでてくる。なにかをつたえたいときはここにかくといい』

ネモフィラはさらに書き続けます。

『きみがまよわないように』

そしてネモフィラはテイラーのために地図を描き出しました。それからスープを飲み干して、立ち上がります。

テイラーはネモフィラが編んでくれたマントを羽織り（はお）ました。するとネモフィラは、テイラーをぎゅっと抱きしめました。

テイラーは少しだけ泣きそうになりながら、洞窟をあとにします。ポケットに手

を入れると、一通の手紙と数枚の金貨が入っていることに気がつきました。

きみはぼくのことをわらったりしなかった。
おいしそうにスープをたべてくれてうれしかった。
きみがどうくつにきてくれてうれしかった。

きみのいうとおり、
ぼくがきみにスープをつくるのは
きみにやさしくされたいから。

でもね、ぼくは、だれかからやさしくされても
そのやさしさをうけとることができないんだ。

やさしさはうけとりかたをしらないと、

うけとることができない。
だからひとりぼっちをえらんだ。
そっちのほうが、らくだとおもった。

きみのえらんだたびがいいものになるように。

テイラーは手紙を読んで、少しだけ心があたたかくなるのを感じました。そして手紙をポケットにしまおうとすると、チャリンチャリンと金貨の音が聞こえます。いつの間にかネモフィラはテイラーのポケットに金貨をしのばせておいたのです。

テイラーはその音を聞きながら、笑いました。

――旅って悪いものじゃないのかもしれないな――

そうして少しだけ軽くなった体を感じながら、遠くに見える街を目指して歩き出しました。

Episode 3

盾を持たない者

The One Without Protection

ネモフィラの地図を見ながらたたり山を抜けると、ぽつりぽつりと民家が見えはじめてきました。うっそうとした木々のアーチを抜けると視界が開けはじめ、たたり山にいたときよりも空を明るく感じます。遠くに小さく見えていた民家がしだいに大きく、近くなってくるにつれて、テイラーの歩みはどんどんと重くなっていきました。ネモフィラのおかげで軽くなっていた心も、再びずしんと重たく感じてきます。

――街に出たらまたいじわるをされるかも――

朝の明るさが目にしみだしたころ、テイラーは再び途方に暮れながら、湖畔が見える静かな場所に座り込みました。

しばらく湖畔を見つめていると、向かい側の水辺に小さな子どもが近づいてくるのが目に入りました。背丈はちょうどネモフィラやテイラーと同じくらい。しかし頭には大きな紙袋をかぶり、肩には大きな袋を抱えています。気になったテイラーが目で追っていると、子どもは持っている袋に石を詰め込んでいます。

――おかしなやつだな――

Episode 3　盾を持たない者

子どもは悩みながら、石を選んでいます。やがて袋がいっぱいになると、今度は袋から石を取り出し、道に並べはじめました。子どもが通ったあと、道には石がひとつ、またひとつときれいに並べられていきます。テイラーは子どものあとをついていきながら、その石を蹴っ飛ばしました。石はころころと四方八方へと転がっていきます。

すると子どもが振り返り、小さな悲鳴をあげました。

「だめだよ！　おうちがわからなくなっちゃう」

テイラーは鼻で笑っていましたが、同時に不思議にも思いました。

――なんで自分の家がわからなくなるんだ？　どこに行こうとしてるんだ？――

そうして石を蹴り飛ばすのをやめ、子どもについていくことにしました。

子どもが向かった先は、大きな広場でした。そこでは、その子どもと同じ年のころの子どもたちが元気に遊んでいます。子どもは少しだけ怯えた様子で、テイラーに向かって言いました。

「きみもここで遊ぶの？」

——遊ぶ？　なんで僕があいつらと遊ばなきゃいけないんだ——

テイラーは首を横に振ります。

「僕の名前はクローバー」

テイラーはノートに自分の名前を書きました。

『テイラー』

「きみはしゃべれないの？」

テイラーは聞こえていないふりをしました。クローバーも気にしない様子で、膝を抱えながら、遊んでいる子どもたちをうらやましそうに眺めています。

——仲間に入ればいいじゃないか！——

テイラーは呆れながら、クローバーの様子を見ていました。子どもたちは高らかな笑い声をあげながら、甲羅のあるへんてこな生き物を戦わせています。

——人間は野蛮な生き物だな——

テイラーはその光景を見ながらびっくりしていました。へんてこな生き物が噛みつき合うと、子どもたちは大きな歓声をあげています。するとへんてこな生き物は

逃げ出し、こちらに向かって走ってきました。

逃げる生き物を追いかけて、かっぷくのいい少年もこちらに歩いてきます。

「ようクローバー。お前はまたそこで見ているのか！」

するとクローバーは身を硬くします。テイラーは驚いて少年に目を向けました。

「そうだ！　お前も戦うか？　今日のは強いぞ！」

クローバーは強く首を横に振っています。

「いいから、こっちにこいよ！」

そう言って少年はクローバーの腕を強くつかみました。クローバーは懸命にとどまろうとしますが、力の強い青年に引っ張られて、地面に溝ができています。

テイラーは途端に胸がムカムカとしてくるのを感じました。だんだんとその少年が、天界の天使たちに見えてきたのです。

「テイラー、それなら神さまに聞いてみればいいさ。お前が価値のある存在かどうかを」

「お前は天使としては不完全すぎるのさ」

「さあ、飛んでごらん。そうして僕たちに噛みつけばいい」


気がつくと、テイラーの体が動いていました。鋭い爪を立て、少年に噛みつきます。

「ゔゔゔゔゔ」

声にならない音が喉から出るのを感じます。

「痛い！　痛い！　痛い！」

少年は泣き出しました。クローバーもびっくりしてテイラーを見つめます。

テイラーは、今度は少年の衣服に食らいつき、引きずり回しました。誰もテイラーを止めることはできません。

するとクローバーは、袋から石を取ってテイラー

に投げました。

「だめだ！　だめだ!!」

子どもたちもテイラーに向かって石を投げます。そのうちのひとつがテイラーのお面に当たり、視界が少し明るくなります。

テイラーはやっと正気に戻り、少年の服を離しました。クローバーは少年に駆け寄り、「大丈夫？」と声をかけます。しかし少年はクローバーに怯え、ほかの子どものもとへ走っていきました。

テイラーはノートに書き込みます。

『あいつは攻撃する相手を選んでるんだ』

『いじわるされたらやりかえさなきゃだめだ』

テイラーは得意げにクローバーを見ると、クローバーは悲しそうにうつむきます。

「僕はあんなふうにしてほしくなかった」

テイラーはクローバーを睨みます。すると頭の中に、ネモフィラの言葉が浮かびます。

――『ぼくはいじわるにはなりたくない』――

テイラーはムカムカして袋の中の石をつかみ、クローバーに投げます。

「痛いよ！」

もうひとつ、またひとつ。

クローバーも負けじとテイラーに石を投げ返してきます。テイラーは腕に石がぶつかって鈍（にぶ）い痛みが走るのを感じました。

「僕は石をこんなふうに使いたいんじゃない！　帰るために石を集めてたのに！」

『じゃあ帰ればいい』

「僕はみんなと仲良くしたかったんだ」

『あんなやつらと仲良くする必要なんてない』

「でも僕はみんなしか知らないんだ！」

そう言って、クローバーは涙を流しました。テイラーは驚（おどろ）き、クローバーを見つめます。テイラーにはほんの少しだけ、クローバーの気持ちが理解できました。

だってその世界しか知らないから。そこにしか「友だち」はいないから。

するとテイラーの頭の中に、神さまの言葉が浮かびました。

言葉をとり戻したければ世界を見て回ること
きみの知っている世界が
どんなに小さく限りがあるかを知ること
そうすれば言葉はきみのものになる
そのときにここでもう一度問うのだ

テイラーが考え込んでいると、クローバーは言いました。

「母さんが心配するからもう帰らなきゃ」

クローバーは石を拾いながら、来た道を戻っていきます。テイラーは少しだけ申し訳ない気持ちになって、クローバーについていきました。

しばらく黙（だま）っていたクローバーでしたが、湖に着くと口を開きました。

「テイラーは、僕のために怒ってくれたんだよね」

『やられっぱなしのきみを見ていられなかった』

テイラーは紙に書き続けます。

『自分を守れるのは自分だけ』

『痛いのが嫌なら、やりかえさないと！』

するとクローバーはテイラーの手を握り（にぎ）ながら言いました。

「でも、いくら相手に痛みを与えたとしても、きみだって痛いはず」

——僕が痛かったのは、きみが石を投げたからだろう！——

テイラーはムッとしてクローバーの手を振り（ふ）払（はら）います。

「テイラーは僕の友だちになってくれる？」

面倒（めんどう）ごとに巻き（ま）込（こ）まれたくなかったテイラーはまた、聞こえなかったふりをしました。しかしクローバーはへこたれません。

「お礼がしたいから僕のおうちにおいでよ！　母さんに会ってよ！」

グイグイと手を引っ張ってくるクローバーのしつこさに、テイラーは思わず眉（まゆ）をしかめます。

――ネモフィラもだけど、人間はこんなに図々しいやつらばっかりなのか？――

テイラーはクローバーの手を振り払って『行きたくない』と書きました。

『なんできみの母さんに会わなければいけないの？』

「なんでって、友だちだから」

『きみと友だちになった覚えはない』

「さっきは僕のために怒ってくれたじゃないか」

『あれはきみのために怒ったんじゃない。僕のために怒ったんだ』

テイラーは少しいら立ちを覚えながら、ノートに書き殴ります。

『きみは僕に石を投げたよね。それは友だちにすることかい？』

クローバーはハッとして、顔を曇らせました。

「ごめんね。きみをどうやって止めたらいいのかわからなかったんだ」

すると、テイラーのお腹が「グゥウウ」っと鳴りました。

『きみの家にはおいしいごちそうはある？』

「うん！」

クローバーはうれしそうにうなずきました。

✲

しばらく歩くと、煙突(えんとつ)のあるあたたかそうな家が見えてきました。

「母さん！　ただいま！」

クローバーは玄関(げんかん)に着くなり、うれしそうに言います。すると中からクローバーの母親らしき人間が出てきました。

「まあ！　お友だちを連れてきたのね」

――クローバーに友だちなんていないさ――

テイラーは心の中で悪態(あくたい)をつきます。

「今日はなにして遊んだの？」

「いつも通り、みんなと一緒に広場で追いかけっこをしたよ」

――大うそじゃないか！――

テイラーはびっくりしながらクローバーを見つめます。

「母さんを心配させたくないんだ」

テイラーの視線に気づいたクローバーは、小さな声で言います。

「あら、クローバー、足から血が出ているわよ。遊びすぎたのね」

クローバーの母親は、足に小さな布を当てながら小さく口ずさみました。

痛みは彼方に
遥か彼方に
きみの知らぬ場所まで
閉じ込めておいで

「痛くなくなったよ」

クローバーはニコニコと母親の顔を眺めます。

「ふたりに晩ごはんを作ってあげようね」

キッチンへと向かう母親のうしろ姿を見送ると、クローバーはテイラーに言いました。

「やっぱりきみは勇敢だ。きっときみも痛かったはずだから。痛いことには勇気がいるもの」

確かにテイラーの膝からは、血がにじんでいました。クローバーは白い布を取り出し、テイラーの傷に当てます。

「いつも母さんがこうやってくれるんだ」

痛みは彼方に
遥か彼方に
きみの知らぬ場所まで……

テイラーは、痛くて声にならない悲鳴をあげました。歌なんて聞いている余裕はありません。ネモフィラが塗ってくれたよもぎのペーストとは違い、クローバーの手当てが傷口にしみたのです。

クローバーはもう一度歌いながら手当てをしようとします。しかしテイラーはクローバーの口を塞ぎました。歌われると、傷がじんじんと痛みだすからです。

『よもぎの葉っぱはない？』

「それは早く治るの？」

『そうだよ。友だちが教えてくれたんだ』

クローバーはほんの少しだけ寂しそうな顔をしながら言いました。

「お母さんに聞いてくるよ！」

テイラーはクローバーの姿が見えなくなったのを確認すると、机の上にあった羊皮紙に書き込みました。

クローバー

きみもきみのお母さんも優しい。

でもきみの周りには、きみを傷つけるやつらがいる。
きみやきみのお母さんがたくさんの親切をしても、
きみたちにひどいことをするやつらは絶対にいるんだ。

「優しさ」と「弱さ」の見た目は似ている。
でもそのふたつの中身は別ものだから、
僕たちはそれを一緒にしちゃだめだ。
でもきみにいじわるをしてくるやつらは
「優しさ」と「弱さ」を見わけられないから
きみの「優しさ」を「弱さ」だって勘違いする。
そういうやつらには優しくしなくていいんだよ。

きみがなるべくいじわるをされないで生きるためには、
暴力からの逃げ方か、

相手をやっつける戦い方を学ばなきゃ。
きみがどうにかしない限り
痛みはなくならないよ。
きみの集める石は、自分を守る武器にもなる。
それは忘れないで。

テイラー

テイラーは書き終えると、開けっ放しになっていた扉から外に出ました。うしろを振り返ると、もくもくとした煙が空へと溶けていきます。テイラーは膝に巻かれた布を剥(は)がし、ポケットへとしまいました。

Episode 4

価値がわからない者

The One Who Feels Worthless

テイラーは再び湖に戻り、血のついた布を洗いました。天使であるテイラーは傷の治りが早く、すでに血は止まっています。

――傷の治りが早いから傷の手当てなんておらないんだ――

テイラーは悶々と考えながら、洗い終えた布を、自分と同じくらいの高さの木に干していきます。包帯が木に巻きついている様子を見ながらテイラーは思います。

――まるで木が怪我をしているみたいだな――

そう思いながら、テイラーは自分の暮らしていた木の傷を思い出し、胸がキュッとなる感覚を覚えました。

「おい、おンめはナニモンだ？」

突然、背後から話しかけられ、テイラーの心臓は飛び跳ねました。慌ててうしろを振り向くと、そこにはウロコともじゃもじゃの毛が生えた人間のような生き物が立っていました。

「その木は怪我したンか？」

怪訝そうな顔をしながら、〝ソレ〟はこちらをのぞき込んでいます。

Episode 4　価値がわからない者

「おンめ、はなンせないのか」

テイラーは手が濡(ぬ)れていて文字を書くことができず、仕方(しかた)なくうなずきました。

「おでの名前はユウガオてンだ。おンめの名前は？」

『テイラー』と、自分の名前を口の形で表してみます。

「ふ〜ん、エラーか。おかしな名前だンな。まぁいいや。名前なんてカタチにすぎンね。」

――カタチ？――

「エラーはどんなカタチを持ってンだ？」

ユウガオは少しいぶかしげに再びテイラーをのぞき込みます。

長い沈黙(ちんもく)が続きました。ユウガオはなんの反応もないテイラーに少し怯えている様子でした。

――僕のことを知ろうとしているのか？――

テイラーは詮索(せんさく)されている気分になって、そばにあった花を引きちぎりユウガオに投げました。ユウガオはびっくりしてあとずさりします。

その反応をおかしく感じたテイラーは、次に大きな石を投げてみました。するとユウガオはうれしそうにテイラーを見ました。

——驚かないのか？——

テイラーが不思議に思っていると、ユウガオはこう尋ねてきました。

「エラーも壊すの好きか？」

なにを言われているのかわからなかったけれど、テイラーはうなずいてみました。するとユウガオが雄叫びをあげました。

「カタチ壊しに行くぞ！　カタチ壊しに行くぞ！」

——壊す？　よくわからないけど、なんだか楽しそうだ——

テイラーは少しの期待を抱きながら、ユウガオに言われるままうしろをついていきました。しばらく歩くと、そこには巨大なガラクタ置き場がありました。

「ここにあンもン、ぜンぶ壊していいぞ。これはカタチだ」

そこにはありとあらゆる機械と、おそらく生活で使われていたものたちが転がっていました。ユウガオはその中のひとつを手に取ると、大きな音を立てて壊しだしました。

「おンめもやってみろ」

言われるがまま、テイラーも近くにあった機械を持ち上げると、思いっきり地面に投げつけました。

ガッシャーン
テイラーは溜まっていた鬱憤を晴らすように壊して、壊して、壊しました。ユウガオは大きな足を使って、機械を踏みつけました。ガタガタと大きな音をたてて崩れていく機械を見ながら、テイラーはそのパワーに圧倒されます。四角いもの、丸いもの、三角形のもの……どれもが壊せば壊すほど同じような形になっていきます。

「壊せば全部、おンなじなンだ！　おンなじ！　おンなじ！」

――ほんとだ。壊せば全部同じなんだ――

テイラーも心の中で賛同しながら、目につくものすべてを壊していきます。

しかしなぜでしょう。だんだんとスッキリしなくなってきました。テイラーは不思議な気持ちになりながらも、ユウガオと一緒にひとしきり暴れまわりました。ガラクタ置き場には、ふたりを咎める人はいません。だってここにあるすべては、捨てられたものたちなんですから！

✲

気がつくと、あたりは真っ暗になっていました。すると月明かりに照らされて、ユウガオのウロコがキラキラと輝きだします。七色に光るウロコにテイラーが手を伸ばすと、不思議そうにユウガオは聞きました。

「おンめは、このウロコ好きか？」

テイラーがうなずくと、ユウガオは照れくさそうに笑いながら言った。

「みンなはおでのウロコは気持ち悪いって言うぞ。ウロコが好きだなンて、そンなン、アサガオしか言わねえ」

テイラーはノートに書き込みます。

『アサガオ？』

「おでのおとうとさ」

『なかよしなの？』

「おでは大好きだ」

　ユウガオはうれしそうに話しました。

「アサガオはいろンなことをしってンだ」

　テイラーがユウガオの話に耳を傾(かたむ)けていると、うしろから足音が聞こえました。

「兄さん、またここにいたんだね」

　うしろを振り向くと、そこにはユウガオとはずいぶん違う〝カタチ〟をした人間が立っていました。藍色(あいいろ)のきれいな服に身を包み、こちらを見つめています。

「ちょうどよかった。こいつは双子ンおとうとのアサガオ」

　アサガオはテイラーを一瞥(いちべつ)すると、「兄さん、帰ろう。夜に出歩くと、また街の人を怖がらせてしまう」と、ユウガオの手を握りました。

「アサガオ、こいつぁエラーだ。おでの友だちになった。エラーも一緒に帰っていいか？」

「うん、わかった。エラーも一緒に来て。兄さんは言い出したら聞かないから」

――なんだか感じの悪い言い方だな――

テイラーはアサガオの口ぶりに少しムッとしました。テイラーの目には、アサガオがユウガオを馬鹿(ばか)にしているように見えたのです。

『きみにはユウガオのようにきれいなウロコがないんだね』

テイラーは嫌みを込めてアサガオに伝えました。するとアサガオは目を見開き言いました。

「そうだろう、兄さんのウロコはきれいなんだ」

テイラーはびっくりしてアサガオの顔を見ました。アサガオの表情は先ほどとは違って、すごく穏やかになっていきます。

「私は兄さんにはなれない。だから兄さんにできないことをするのが、私の役目なんだ」

「アサガオにできて、おでにできないことンほうがいっぱいある」

「この街には兄さんの魅力がわからない馬鹿どもがたくさんいる。だから私はうんと賢くなって、兄さんの魅力を知らしめてやるのさ」

アサガオは続けます。

「でもそれまでは、この街の馬鹿どもが兄さんを傷つけないためにマントを羽織ってもらわなきゃ」

アサガオは凛々しい顔でユウガオを見ました。

――いくらアサガオが知らしめたとしても、愚かな人間たちに理解はできない――

テイラーは心に少しのモヤモヤを抱えながらも、うらやましい気持ちもありました。テイラーにもそんな弟がいたなら、どんなによかったでしょう。テイラーはそのまま兄弟についていくことにしました。

街はもうすっかり闇に支配されていて、灯りが漏れる窓がぽつぽつと並んでいます。ユウガオのウロコはマントに隠れ、黄色い目だけがのぞいていました。すると窓から、さまざまな声が飛んできました。

「ほら見て、あの怪物よ」

「街の厄介者、破壊することしかできない化け物」

「アサガオがかわいそうだわ」

「双子なのにどうしてかしら、姿もなにもかもアサガオとは違う」

横目でユウガオをのぞくと、小さな声で「単なるカタチだ、単なるカタチ……」

とつぶやいています。アサガオも、その言葉を耳にしながらなにも言いません。


「私はうんと賢くなって、兄さんの魅力を知らしめてやるのさ」


アサガオの言葉を思い出します。テイラーは頭ではその信念を理解していても、
悔しい気持ちになりました。

――すべての家の窓ガラスを割ってやりたい――

テイラーはいじわるを言う人たちの口を縫いつけて、二度とユウガオを傷つけられないようにしてやりたいと思いました。しかしその衝動をグッと堪えて、ユウガオの手を握ります。

ユウガオの顔をのぞくと、ユウガオはマントを深くかぶり直しました。

「兄さん、気にすることはないよ。私が兄さんを守るからね」

アサガオが力強くそう言うと、ユウガオはさらに小さくなってしまいます。その姿を見てテイラーは思いました。

――ユウガオは守られたいわけじゃない――

そしてテイラーはユウガオの手を強く引っ張りました。そして、呆気に取られるアサガオを置いて、来た道を戻ります。

「エラー、どうしたンだ？」

ユウガオはびっくりしながらもおとなしくテイラーについてきます。テイラーの目指す場所はガラクタ置き場でした。

ガラクタ置き場に着くなり、テイラーは自分たちが壊したものを掻き集めました。キラキラとした破片たちも、丁寧にまとめました。そうしてガラクタ置き場にある、あらゆるガラクタに破片を貼りつけていきます。人形や、機械や、家具たちに。

『ほら見て。ユウガオのウロコみたいだ。みんなきみのウロコがうらやましいんだ。望み通り全部につけてやればいい』

「これがおでのカタチか？」

『きみが好きなものを、きみのカタチにすればいい』

するとユウガオは言いました。

「おではまた壊してしまうよ」

テイラーはうなずきました。

――いくらでも壊していいよ――という意味を込めて。

ガラクタ置き場には毎日いろんなガラクタが運ばれてきます。ふたりは時には壊し、時にはカタチを作りました。ユウガオもテイラーも壊すときには思いっきり壊しました。

しかし壊すために壊すのではなく、だんだんと作るために壊すようになりました。

ガラクタ置き場にはユウガオと同じようなキラキラと光るウロコを持ったものたちがたくさん並んでいます。夜になるとガラクタの体もキラキラと輝きだします。

まるでユウガオのように……。

ある夜、ユウガオはテイラーに言いました。

「おでと一緒に壊してくれたのはエラーだけさ」

『僕は壊すことに関してはぴかいち』

「エラーは作ることもぴかいちだン」

テイラーは顔を上げます。

『作ること？』

「おでの〝壊すこと〟に、カタチを与えてくれた。カタチは嫌いだけンど、エラーの作るカタチは好きなンだ」

テイラーはユウガオの言葉に耳を傾けます。

「アサガオはおでを守ってくれるけど、おではずっと恥ずかしい。アサガオに申し訳ねンって思うンだ。本当ならおでがアサガオの力になってやりたいのに、おでのせいでアサガオはカタチを持たなきゃならンね。でもおでは壊すことしかできねェンだ。おではなンで生まれてきちゃったンだろうなぁ。生まれてくるのは、アサガオだけでよかった。おではとンだ出来損(できそこ)ないだン」

ユウガオは話しながらぼろぼろと涙を流しました。テイラーはユウガオに伝えたいことが山ほどありました。しかし思うように伝えたいことが書けません。
街でユウガオが受けた苦しみを、テイラーは知っていました。だからこそ、胸が痛んで、テイラーはユウガオに言葉をかけられませんでした。

――本当に伝えたいことがるのに、それが叶わないなんて！――

月明かりに照らされたユウガオのウロコは、またしてもキラキラと輝き、その上に、ぽろぽろと光る雫が落ちてきました。それは、テイラーの涙でした。

テイラーは仮面を外し、山のように大きなユウガオに寄りかかりました。そうするとユウガオはマントを脱ぎ、膝掛けのように自分とテイラーの足にかけました。

「エラーの目はおでのウロコとおンなじ色なンだなあ。とってもきれいだ」

テイラーは言葉の代わりに、ユウガオのウロコを優しく撫でました。ぐったりとふたりの体は疲れていました。

――カタチを作るのって疲れるんだな――

でもなんだか、テイラーにとって、こんなにも月の光をあたたかく感じられた夜は初めてでした。

朝、目が覚めるとテイラーは大きなマントの上に寝そべっていました。そこにはユウガオの姿はなく、横にはテイラーの瞳と同じ色の石と、くしゃくしゃの手紙が置かれていました。

エラー

おれのうろことエラーの目と、おんなじ色の石を見つけたんだ。
昨日おれは初めて「悲しい」って思えた。
壊すばっかりで、おれは「悲しい」を見てなかった。
エラーのおかげだ。今はもういい気持ちだ。
アサガオが心配するから家に帰るな。
かぜ、ひくなよ。

ユウガオ

テイラーもどうしてもユウガオに手紙が書きたくなって、ガラクタ置き場で紙を探しました。すると、滑らかな美しい便箋を見つけました。

――これはいい！――

テイラーは満足そうに、昨日の夜のことを思い出しながらペンを取ります。

街の声に小さくなるユウガオを。

ユウガオの美しいウロコを。

ユウガオと一緒に壊して、カタチを作ったことを。

キラキラと流れるユウガオの涙を。

そしてチクリと痛んだ自分の心を。

パーツのように転がる光景を引き寄せながら、テイラーは生まれて初めて出てきた〝自分の言葉〟に驚きました。クローバーのときに浮かんだ言葉とは、少し違っていたのです。なんたってテイラーはもらった手紙に返事を書くのは、初めてだったのですから。

ユウガオへ

僕は、壊すことが好きだと思ってた。
でも壊すときはやっぱり、胸が痛んでた。
きみとした「作るための壊す」は、
すごくうれしかった。

僕の目も、きみのウロコも
なくさなければならない理由なんてないはずさ。

きみのカタチはきみが決められる。
僕だって同じだ。

きみはもう、きみを壊さないでいい。
ユウガオの呼ぶ「エラー」が気に入ったよ。

エラー

テイラーはすっきりとした気持ちで、キラキラと輝く石をポケットにしまいました。

——エラーって名前も悪くはないかも——

同時にテイラーは思いました。

——ネモフィラもクローバーも、ユウガオもみんなカタチを持っていた——

頭の中に、神さまの声がよみがえります。

拒(こば)み続ける者
盾(たて)を持たない者

価値（かち）がわからない者
呪（のろ）いをかけられた者
選ぶことを諦めた者
受け入れられない者
自分を偽（いつわ）る者
言葉を持たない者
試練（しれん）を与える者
許（ゆる）されない者

それらはきみでもあり、きみではない
その意味がわかるとき、扉は開いていく

テイラーはハッとします。神さまはヒントをテイラーに与えていたのです。
――カタチを持つ人たちに会いに行こう――

そうしてテイラーはまた歩きだしました。

Episode 5

呪いをかけられた者

The One Who Is Cursed

テイラーが頬に当たる風を楽しみながら歩いていると、西のほうからなにやら強い香りが漂ってきました。その香りに釣られ、道を歩き続けると、ひらけた丘の一面に鮮やかなピンクの花畑が見えてきました。

どこからかぼそぼそとか弱い声が聞こえてきます。

「ああ、恥ずかしい、ああ、恥ずかしい」

声を頼りに花を掻き分けて進むと、その中にぽつんと誰かが立っているのが見えました。

「ああ、恥ずかしい！　なんて恥ずかしいの！」

テイラーが興味本位に近づくと、足音に驚いた〝ソレ〟がこちらを振り返りました。

「あなたは……？」

テイラーが自分の名前を書きだそうとすると、続けざまにしゃべります。

「ああ、まずは私から名乗らないといけないわね。私の名前はプロテアよ」

もしかするとプロテアもカタチを持っているかもしれないと、テイラーは彼女を観察してみました。

Episode 5　呪いをかけられた者

きれいにあつらえた洋服は触り心地がよさそうで、裾から伸びている白い手足は驚くほど細く、今にも折れてしまいそうです。頭から真っ直ぐに伸びた三つ編みが下がっています。唯一テイラーが不思議に思ったのは、プロテアが自分の頭を抱えているところでした。

『どうして頭を抱えているの？』

「私たちの一族はみんな頭が取れてしまったの。で……あなたの名前は？　名乗られたら名乗り返さなきゃだめよ」

プロテアは唇を突き出しながら言います。

『テイラー』

テイラーはノートに書くと、プロテアに見せました。

「あなたは口でお話をする人ではないみたい」

テイラーはだんだんとどこを見ていいのかわからなくなってきました。おかしなことに、プロテアが頭を逆さまに持ちはじめたからです。そんなテイラーを気にせず、プロテアは話し続けます。

「ああ、初めて出会ったあなたにこんなことを聞かせてしまって申し訳ないけれど、とっても恥ずかしいことがあって。聞いてくださる？　ああ、どうか」

テイラーはプロテアの勢いに圧倒されながら、小さく首を縦に振りました。

「私は今日とんでもないことをしてしまったの。そう……おうちに本を忘れてきてしまったのよ。今日は決めていたの。夕暮れまでに２４０ページから３００ページを読んでしまうことを。それは昨日の自分とのお約束だったのよ。なのに、私はなんて頭が悪いのかしら。これでは大人になれないかもしれない。だって自分とのお約束すら守れないのよ！　そんなの恥ずかしい大人になってしまうに決まっているわ！」

テイラーにはプロテアが何を言っているのかさっぱり理解できませんでした。それどころかだんだんといら立ちを覚えてきました。プロテアの言葉はまるで、テイラーを責めているようにも聞こえたからです。

そのままプロテアは続けます。

「それにね、今日はピンク色の靴下をはくって決めていたの。なのになんてひどいブルーを選んでしまったのかしら！　こんなのオンナノコがはくような色じゃないのよ。見てみてよ、ぜんぜんお洋服とマッチしていないの。私の白い肌に合わさると、まるで死人のよう！　こんな格好でお外を歩いていただなんて、なんて恥ずかしいの！」

　テイラーは最後まで聞き終わらないうちに、プロテアに背を向けて歩きだしました。

――なんて聞くに耐えない雑音だろう！――

　テイラーが歩きだすと、プロテアの顔はくるくると転がりながらテイラーを追いかけてきます。

「私、あなたが嫌になるようなお話をしたかしら……」

　プロテアの体も一緒に追いかけてきます。

『ブルーだってすてきじゃないか』

　プロテアは少しだけ考え込んで、こう言いました。

「あなたは私をお迎えに来た王子さまなの？」

『王子さま？』

「ほら、おとぎ話の。お姫さまを迎えに来るの」

テイラーは訳(わけ)がわからないまま、やっぱりむしゃくしゃしました。

――なにを言ってるんだ！　肝心(かんじん)なことはなにも説明してくれない！――

するとプロテアは続けます。

「私のおうちにおとぎ話の本があるの。見てみたらわかるわ」

『嫌だよ。興味(きょうみ)ないもの』

テイラーはプロテアと少し距離(きょり)を取りながら歩きます。プロテアとはもうおしゃべりをしたくなかったのです。プロテアは遠くから大きな声でこう言いました。

「あなた、なにか探(さが)しているものがあるの？」

テイラーは足を止めます。プロテアはテイラーに近寄ってきます。

「あなたの顔を街で見かけたことがないもの。あなたは旅人？」

『そうだったらどうしたのさ』

「あなたの探しているものがあるかも」

——もしかしたらプロテアにもカタチがあるのかもしれない——

テイラーはいら立つ心を抑えながら、プロテアについていくことにしました。

✲

プロテアの家は、街中でも一番大きなお屋敷のようでした。細部までこだわられた建物は、まるで神さまのいる神殿のようで、テイラーは天界での出来事を思い出して胸がキュッと痛むのを感じました。

「ここが私のおうちよ、遠慮せず！　さあ！　あがってみて！」

階段の踊り場にはそれはそれは大きな肖像画が飾られていました。

「これが私、そしてお父さまとお母さま。私と違ってとても立派なおふたりなの」

プロテアは誇らしそうに、家の中をクルクルと回ります。するとどこからか低い声が聞こえてきました。

「プロテア、帰ってきているのかい？」

Episode 5　呪いをかけられた者

声のするほうに向かうと、プロテアをふた回りほど大きくしたような人間が腰掛けていました。しかも恐ろしいことに、大きいプロテアはふたりもいるのです。

「プロテア、帰ってきたのなら挨拶をしなさい」

「ごめんなさい、本を忘れてしまったの」

「それは自分との約束を破ったということかい」

「ごめんなさい、本当に恥ずかしいわ」

「それは恥ずかしいだろう…！」

大きなプロテアは目を丸くして、ブルーの靴下を指さします。

「なんだい、その靴下は！　いつものプロテアらしくないじゃないか！　こんな色の靴下を誰が買ったんだ、きみか？」

大きいプロテアは、もうひとりの大きいプロテアに言います。

「私がこんな色を買うはずがないでしょう！　ブルーはあなたのものに決まっているわ！」

するとプロテアは言いました。

「お母さま、お父さま、ごめんなさい、すぐにはき替えるから！」

お父さまと呼ばれた大きいプロテアが、テイラーに気がつきました。

「ところできみは誰だい？」

ふたつの頭がテイラーをのぞき込み、頭の上から爪の先まで、視線が這っていきます。テイラーは居心地が悪くてたまりませんでした。

プロテアはすかさず答えます。

「この子はテイラーよ。一緒に本を読むお約束をしたの」

お母さまと呼ばれた大きいプロテアは言います。

「こんな狭いところですけど、どうぞごゆっくり。あ、プロテア、おさげの髪が緩んでいるわ。ポマードを塗り直しなさい。いつもはしっかり者で、利発な女の子なんですけど」

テイラーはそこでやっとお腹のムカムカに気づきました。

――ここは呪いの屋敷だ！　ユウガオが言っていた「カタチ」が溢れている――

テイラーは、このときばかりは、余計な言葉を話さなくていい自分にホッとしていました。もしひと言でも発したら、余計に窮屈な気持ちになりそうです。

「テイラーさんね、プロテアのお部屋に行ったらどうかしら？　この子はお掃除がとっても得意なの。だからきっとお部屋も気にいるはず。今日はもう日が暮れているし、お泊まりになられたら？」

テイラーは断りたい気持ちでいっぱいでしたが、その瞬間にプロテアがぎゅっと腕を握ってきたのがわかりました。

「もう少しだけ、一緒にいましょう！　ね。テイラー」

――いつもなら腕を振り払っていたのに！――

テイラーはなんだかプロテアと一緒にいてあげたほうがいい気がして、ひと晩だけ泊まることにしました。

階段を抜けて屋敷の奥へと向かうと、そこにプロテアの部屋がありました。部屋に着くとプロテアは堰を切ったように話しだします。

「テイラーは自分を恥ずかしいと思うことはある？　あんなに完璧なお父さまとお母さまからジロジロと見られて、私だったら恥ずかしくて立っていられないわ。

あなたはすごいのよ、とても堂々としていて。私にないものをたくさん持っているわ。だからもう少しだけお話ししたかったの」

テイラーはプロテアの言葉が耳に入ってこないほど、この部屋の居心地の悪さに驚いていました。

部屋を見渡すと、すべてのものが直角に、整列をしているかのように並んでいるのがわかります。まるで、部屋に置かれるためのコンテストを勝ち抜いてきたものたちだけが並べられているかのように――。そしてすべてのものが磨かれ、新品のように輝いていました。

「これがおとぎ話の本よ」

プロテアはきれいに整頓された本棚の中から、一冊の本を取り出しました。

「ほら、王子さまがお姫さまを迎えに来ているでしょう」

プロテアはうっとりとした顔で本を開きます。

「なんてロマンティックなのかしら」

『迎えに来てほしくないときはどうするの？』

「迎えに来られたくないなんてうそよ。それは自分の心にうそをついているんだわ。とにかくこれを読んでみてよ。あなたの探しものが見つかるかもしれないから」

テイラーはムッとして本を投げました。

『僕の探しているものはここにはないし、だいたい僕はお姫さまでも王子さまでもない』

プロテアは慌てて本を拾い上げ、小さく叫びました。

「なんてひどいことをするの！」

テイラーはプロテアを無視して部屋を散策(さんさく)します。すると豪華(ごうか)なベッドフレームの下から色褪(あ)せた絵本がのぞいているのが目にとまりました。

テイラーが絵本を手に取ると、プロテアはそれを取りました。

「見ないで！」

気になったテイラーは本を奪(うば)い返します。プロテアはテイラーを強く押し倒しました。テイラーはプロテアの頭を蹴(け)り飛ばします。プロテアは怒っておとぎ話の本をテイラーに投げつけました。テイラーも本棚から本を取り、プロテアに投げつけます。

　しばらくプロテアと本の取り合いをしていると、部屋はめちゃくちゃになり、気づいたときには古びた本は壊れ、ページがバラバラと散っていました。

　プロテアはおとぎ話の本には目もくれず、泣きそうな顔で古本のページを拾い集めます。テイラーは少しだけ申し訳ない気持ちになって、一緒にかき集めました。

　プロテアの三つ編みからは毛が飛び出し、きれいにアイロンをかけられていた洋服はぐしゃぐしゃになっています。鏡に映った自分の姿を見て、プロテアは大きな声で笑いだしました。テイラーはびっくりしてプロテアを見つめます。

　プロテアは床に落ちているページの一枚をテイラーに渡しました。そこには美しいドレスを着た人間が力強く歩いている挿絵がありました。

　するとプロテアは言います。

「これは昔から持っている絵本なの。でもお母さまとお父さまから持つことを禁じられていてね。それでも読みたいから、前はほかの本と表紙を入れ替えて持ち歩いていたの。でもあるときからおとぎ話しか読まなくなったわ。待つことも試したく

Episode 5　呪いをかけられた者

なったのよね。……でも古本が壊れて初めてわかった。私にとって大切なのはこの本だったのよ」
プロテアはにっこり笑って言いました。
「よかったらこのストーリーをあなたに教えてあげる」

あるところに、それはそれは美しく、心のきれいなお姫さまがいました。
お姫さまはいつも王さまやお妃さま、また市民の様子を気にかけ、
国中の人たちから愛されていました。

お姫さまが歌うと木々や動物は踊り、
人々はうっとりと安らぎを感じることができました。
またお姫さまが道を通ると、そこには光が差し込み、
あたりはお花の香りで満たされるのです。
そしてお姫さまは何年経(た)っても同じ姿のままでした。

しかしそんなお姫さまは「鏡を見る」ことだけは禁止されていました。
王国中のありとあらゆる鏡は壊され、
少しでも反射をするようなガラスは閉じられてしまっていました。
その理由を王さまとお妃さまに聞いても、はぐらかされてしまうばかりでした。

あるときお姫さまが湖畔で休んでいると、
水面にはお姫さまとまったく同じお洋服をまとった、
見たこともない女の子が座っているのが見えました。

「あなたは誰?」と尋ねてみても、
同じように口を動かすばかりで一向に答えてはくれません。

そこでお姫さまは気づきます。これは自分自身だということに。

お姫さまはそこで、自分に呪いがかけられていたことに気がつきます。
お姫さまは、美しく、優しく、芸を持ち、
若いままでいるよう、呪いがかけられていたのです。
そしてその呪いをかけたのは、王さまとお妃さまでした。

その呪いは、直視をしている人にしか効かず、
鏡や水面には真実が映ってしまうものでした。

しかし水面に映った自分を、お姫さまはたいそう気に入りました。
その反面でこんなすてきな自分に呪いをかけた両親を恐ろしく感じました。
そしてこう強く思ったのです。
「私はもう、誰かのために生きなくてもいいのだ!」と。

お姫さまは叫び声をあげて、湖に落ちてしまったふりをしました。
そして慌てて救助（きゅうじょ）に来た兵士の腕に抱（だ）かれながら、
息を引き取ったふりをしました。

お姫さまを失った王さまとお妃さまはたいそう悲しみ、
「最後だから」とお姫さまの呪いを解きました。

棺が埋められたあと、お姫さまはお墓（はか）から抜け出し街を歩きます。
しかしお姫さまの本当の姿を知る人は誰もいません。

お姫さまは国を出て新たな冒険へと向かいました—

テイラーはこれまで聞いたどのお話よりも、そのお話が好きでした。王子さまを
待つお姫さまの話だっていいけれど、みんなを騙（だま）して旅に出かけるほうがずっとプ

ロテアらしいと感じたのです。

　プロテアはベッドに潜り込むと、うとうとしながら話を続けました。

「私はお父さまにもお母さまにもとっても愛されてる。持っているものもたくさんあるの。でも不思議ね、時折、この王さまとお妃さまが、自分の家族に見えることがあるのよ。こんなことを思ってしまうなんて……」

　そうして眠りに落ちる直前に、小さな声でプロテアが言いました。

「テイラーにお願いがあるの……私が眠っている間に私のおさげを切ってくれるかしら？　そうしたらあなたにこのページをあげる……」

　そのままプロテアは深い眠りに落ちていきました。プロテアが眠ったことを確認すると、テイラーはハサミを見つけ出し、眠っているプロテアの頭から、三つ編みのおさげを切り落としました。二本の太いおさげが切り落とされ、プロテアの頭はすっきりとしています。

　満足したテイラーは、勇ましく歩むお姫さまのページをポケットにしまうと、プロテアに手紙を書きました。

プロテアへ

きみの大切な本を壊してごめんね。

きみにはブルーもよく似合っていた。
きみはきみであることを選べばいいと思うんだ。

たとえ悲劇が起こらなかったとしても、
僕たちはなにかしらの呪いに縛られている。

その呪いをかけるのは、自分の周りの大人かもしれないし、
自分自身かもしれない。

自分の見ている世界を疑うのは当然のことさ。

前に進むことだってできるし、今のままだって、きみ次第だよ。
またきみに会いたくなったら、あの花畑に行くからね。

テイラー

そうしてテイラーはプロテアの家をあとにしました。

Episode 6

選ぶことを諦めた者

The One Who Doesn’t Care

テイラーがプロテアの家の大きな門をくぐるころ、サザンカという名前の少女が目を覚ましました。

サザンカが窓に目を向けると、いつものように太陽の光は鉄格子によって阻まれていました。どんなに太陽が照らしても、鉄格子の影が床に落ちるばかりなのです。それによってサザンカの部屋の窮屈さは強調されていました。

サザンカはそっと立ち上がり、鉄格子の表面をなぞります。すると、たちまち鉄の匂いが手にうつりました。

――これが血液の匂いなら、少しは楽になるのかな――

サザンカがそう思っていると、うしろから名前を呼ばれました。

「サザンカ」

しゃがれた声で名前を呼ばれるといつも、サザンカの心臓は少し跳ねるのです。

「サザンカ、来ておくれ」

「おばあさま、どうしたの？」

「水を、水を取っておくれ」

——手の届くところにあるじゃない——

言葉を飲み込み、サザンカは水を渡しに行きました。するとおばあさんはうれしそうにサザンカを撫でます。

「ああ、サザンカ、お前はなんて優しい子なんだ」

「水差しのお水がなくなってしまうから、井戸に行ってくるね」

「気をつけるんだよ。外は危険がいっぱいなんだ。どうか無事で帰ってきておくれ」

「気をつけます」

「サザンカがいなくなってしまったら私は朽ちて死んでしまうからね」

外に出ると、強い風が吹き、砂埃が目に入ってきました。鋭い痛みが走り、サザンカは思わずかがみ込んでしまいました。

——おばあさまの言う通りだわ。外に出たってロクなことがない——

サザンカはこう思うことで、おばあさんの言葉に理由をつけてみました。そうすると、ほんの少しだけ自分の状況がマシに思える気がするから……。

——おばあさまの言うことに間違いはない。外は危険で、私はその危険に抗うには弱すぎる。私は優しくて、気が利いて、おばあさま思いのサザンカ――

いつもの森林を抜けると、ぽつんとたたずむ井戸が見えてきました。毎回、この道を通るたびにサザンカは身を硬くします。怪物に襲われないよう、自分の背後を確認するのも忘れずに。

――こんな場所からは早く出よう。長居はしたくない――

――今この瞬間に襲われてしまったら、おばあさまの面倒は誰が見るの！　かわいそうなおばあさま、ひとりぼっちで私を待っているなんて――

井戸に落ちないようスカートを捲し上げ、水を汲んでいると、木の陰からのぞくなにかと目が合った気がしました。

「そこにいるのは誰なの……？　出てきなさい。あなたなんて怖くないわ」

すると木のうしろから奇妙な、〝人間のような〟生き物が出てくるのが見えました。頭には生き物の頭蓋骨をかぶり、肩甲骨から生える翼の片方は羽根が抜け落ち、剥き出しになった皮膚は硬くなっているのがわかります。

サザンカとその妙な生き物は、しばらく見つめ合っていました。頭蓋骨の隙間か

Episode 6　選ぶことを諦めた者

ら見える瞳(ひとみ)は、スモークブルーのような美しい色をしています。子どものようで子どもではありません。性別は、わかりません。ただ、サザンカよりも幾分(いくぶん)も身長は低く見えました。

「水が飲みたいの？」

生き物はうなずきます。

「お話できる？」

首を横に振りながら、「それ」は何かをノートのようなものに書きだしました。

「テイラーがあなたの名前？」

テイラーはうなずきます。サザンカが様子を見ていると、どうやらテイラーは喉(のど)が渇(かわ)いている様子でした。

「わかったわ。テイラー、このお水を飲んで」

するとテイラーは大きな口を開け、水を飲み干しました。サザンカはまじまじとテイラーを眺(なが)めます。大きく開けた口からは尖(とが)った歯がのぞいていました。

——テイラーは悪魔(あくま)か鬼なのかしら？　どちらにせよ、おばあさまが心配しているのだから早く帰らなきゃ――

　水を飲んでもまだ、テイラーはサザンカをじっと見つめています。

――この子はなにを私に求めているのかしら。次は食べ物？　それとも……――

「私の名前はサザンカよ。ごめんなさいね。私はあなたの求めるものを持っていないかもしれない。もうおうちに帰らないといけないの。おばあさまが心配するから」

　一方、テイラーはサザンカになにかを求めていたわけではありませんでした。それよりもずっとずっとサザンカの体にあるアザが気になっていたのです。

――なんでこの人間はこんなにも傷だらけなんだろう――

　アザを見つめるテイラーに対し、サザンカは少しばつが悪そうに言いました。

「これは私が悪い子の証(あかし)なの」

　井戸の前にたたずむサザンカをまじまじと眺(なが)めると、サザンカはテイラーを見つめ返してきました。真っ直ぐこちらを見つめるその視線にテイラーは少し居心地の悪さを覚えましたが、瞳の中にたとえようのない孤独を感じ、ふと神さまとの約束を思い出しました。

――この子もカタチがあるかもしれない――

こうしてテイラーは、彼女のあとについて行くことにしたのです。

✵

必要な分の水を汲みサザンカが歩きだすと、テイラーがうしろからついてこようとしているのがわかりました。

「あなた、おうちはどこなの?」

テイラーは首を横に振ります。

――帰る場所がないのかしら。でも、きっと連れて帰ったらおばあさまが嫌な顔をする――

「私の家には来られないのよ」

そう伝えるとテイラーは口角を上げました。

――何を考えているのかしら――

しかしそろそろ帰らなければ……とサザンカは少し焦(あせ)ります。急いで帰らなければまた罰を受けてしまう、そう思ってサザンカは走りだしました。

家の灯(あか)りが見えて、少し安心しながらうしろを振り向くと、テイラーが立っていました。サザンカはびっくりして、小さな悲鳴(ひめい)が出てしまいます。

「ヒャッ」

すると家の中からおばあさんのしゃがれた声が聞こえました。

「サザンカなのかい。遅かったじゃないか」

「テイラー、お願いだからここにいて」

サザンカは、慌ててテイラーを物置小屋(ものおきごや)に隠(かく)しました。意外にも、テイラーはおとなしくそこにとどまりました。

家の中には、杖(つえ)に寄りかかりながら立つおばあさんの姿がありました。

「おばあさま、遅くなってごめんなさい」

「いけない子だね、お前はまた寄り道でもしていたんだろう。友だちもいないのに」

「ごめんなさい」

するとおばあさんは柱をつかみ、杖(つえ)を振り上げました。目を閉じると右腕に鈍(にぶ)い痛みが走ります。

「私だって本当はこんなことはしたくないんだ。でもお前があまりにも頭が悪すぎるのがいけないんだ。今日は本当に心配をかけたのだから、こんなものではすまないよ」

再び杖が振り上げられ、サザンカは目を閉じます。すると物置小屋から、ゴンッという鈍い音が聞こえてきました。

「なんだい、ネズミでもいるのかね。サザンカ、ネズミを処分してきておくれ。話はそれからだ」

テイラーのことが頭に浮かびながら、家を出て物置小屋に行くと、そこには壁に向かってクワを振り上げるテイラーの姿がありました。

「テイラー、やめて。おばあさまに見つかってしまうから」

そう声をかけるとテイラーはサザンカのほうを振り向き、またニヤッと笑いました。クワが振り下ろされるたびに木材が裂(さ)け、砂埃が舞(ま)っています。テイラーのその様子を見て、サザンカは察(さっ)しました。

「お腹が空いたの？　喉(のど)が渇(かわ)いたの？」

そう聞くとテイラーはサザンカを見てうなずきます。

「おばあさまが眠ったら、お食事を持ってくるから。それまでは待っていて。でないとここを追い出されてしまうわ」

するとテイラーはクワを置き、木材の上に腰掛(こしか)けました。

――納得(なっとく)してくれてよかった……――

サザンカはホッとひと息をつきます。しかし家に戻るとまた同じ場所におばあさんが立っていました。

「おばあさま、もうネズミはいないわ」

「ネズミ一匹に随分(ずいぶん)苦労をしたようだね。お前のそういう鈍臭(どんくさ)いところは母親そっくりだ。部屋に戻りなさい。しばらく家から出るのはやめなさい。ご飯は用意してあげるから」

——今日はなんだかとっても疲れた——

灯りひとつない部屋に戻ると、サザンカはベッドに倒れ込みました。

——きっとしばらく外には出られなくなるんだろうな——

そう考えると、心に重たい石を置かれた気持ちになります。サザンカの毎日のルーティンやルールは、おばあさんによって決められているのです。だからこそ、おばあさんの言うことは絶対で、サザンカもそれを理解しながら過ごしていたつもりでした。

——でも今日のはひどいわ。だって私はなにも悪いことをしていないのに——

✲

「サザンカ、ご飯を取りにおいで」

プレートを持ってご飯を取りにいくと、そこにはいつも通りのあたたかいシチューが置かれていました。

「おばあさま、ありがとう」

「お仕置きだからね、今日は部屋で食べなさい」

おばあさんの目を盗んでもう一枚お皿を取ると、サザンカは自分の部屋に戻り、ひと口だけシチューを口にしました。

――おばあさまのシチューはいつも熱くておいしいわ――

そして、テイラーのためにシチューを器に移し替え、そのままおばあさんが眠るまで息を潜めて待ちました。

居間の灯りが消え、おばあさんが寝たことを確認すると、サザンカはシチューと水を持ってテイラーのもとに向かいます。

「テイラー、ご飯を持ってきたよ」

するとテイラーはサザンカの手から器を奪い取り、ギザギザの大きな口を開けてシチューを食べはじめました。サザンカが呆気に取られてその様子を眺めていると、テイラーは手を伸ばし、サザンカの口元にスプーンを持ってきます。

「くれるの？」

うなずくテイラー。冷えたシチューが口の中に流れ込んでくると、サザンカは違和感を覚えました。

――このシチュー、こんなに塩辛かったかしら――

熱いうちに飲んだシチューはいつもと同じ味だったのに、冷えたシチューはものすごく塩辛く感じました。サザンカは思わず、勢いよく水を飲み干しました。テイラーも同じように、水差しから水を飲んでいます。

すると突然、テイラーが水差しをサザンカに投げようとしてきました。サザンカがびっくりして身を庇おうとすると、テイラーは水差しを置いて、なにかを書きだしました。

『サザンカにも、自分のことを守ろうとする気持ちがあるじゃないか』

――テイラーはなんて強引で乱暴なんだろう――

サザンカは眉をひそめました。

「なんでそんなことをするの？」

サザンカがそう聞いても、テイラーはこちらを見つめ続けています。

「もう知らない。早く出ていって」

そう言って部屋に戻ろうとするサザンカの服を、テイラーがつかみました。そしてクワを差し出して、紙にこう書きました。

『きみならこれを、なにに使う？』

サザンカは混乱（こんらん）しました。テイラーが何を言いたいのか、まったくわからなかったのです。沈黙（ちんもく）するサザンカを見ながら、テイラーはまたクワを壁（かべ）に向かって振り上げました。

「おばあさまが起きてしまうから」

そう制止（せいし）すると、テイラーはなにも言わずに床（ゆか）に座（すわ）り込み目を閉じました。

「私はもう戻るから。明日の朝には出ていってちょうだい」

部屋に戻ると、サザンカはまた倒（たお）れ込（こ）むようにベッドに横になります。

――私はあのクワをなにに使うのかしら――

そんなことを考えていると、なぜかどんどん右腕が痛くなってくることに気がつきました。

――いつもならお仕置きも痛くないのに……。明日にはもうテイラーはいなくなっているのかしら……――

考え出したら止まらなくなり、寂しさが全身をめぐるような感覚（かんかく）になって、サザンカは眠れなくなってしまいました。

――テイラーのことを考えると、なんだかうらやましいわ――

たとえ羽根が抜け落ちたとしても、テイラーの背中には立派な翼があるのです。

その翼でどこにでも行ける……。サザンカは思いを馳（は）せました。

――もしもテイラーに帰る家がないのなら、テイラーは自分自身でルールを作れるのね――

朝目覚めると、テイラーは体の節々（ふしぶし）が痛むことに気がつきました。

朝が来ても物置小屋は埃臭く、薄暗いままです。改めてあたりを見渡すと、さまざまな「道具」が置かれていることに気がつきました。きっとこれらはすべて、サザンカに罰を与えるためのものなのでしょう。テイラーがクワを振り下ろした場所からは、細い光が差し込んでいました。

実はテイラーは、昨日から胸のあたりがムカムカして仕方がありませんでした。

――おばあさんはサザンカにひどいことをしているのに、どうしてサザンカは一緒に暮らしているんだろう――

テイラーはこれまでずっと、攻撃を仕掛けてくる存在を遠ざけて生きてきました。だからこそ、自分を攻撃してくる相手と暮らし続けるサザンカが不気味に思えて仕方がありませんでした。

テイラーは壁にかかっていたひもとクワを持ち、そっと物置小屋を出ると、家の中に忍び込みました。足を踏み入れると、家の奥に牢獄のような部屋が見えます。さらに見渡すと、もうひとつ部屋があることに気がつきました。軋む扉を開けてみると、ベッドにはひとりの老婆が横たわっているのが見えます。

――これがサザンカを縛りつけているおばあさんか――

ほんの仕返しのつもりで、テイラーは手に持っていたひもでおばあさんをベッドに縛りました。

再び、牢獄のような部屋を目指します。そこは、サザンカの部屋でした。物置小屋と同じく薄暗く、埃の匂いが立ち込めています。窓には鉄格子がはめられており、景色はほとんど見えません。

――これじゃあまるで独房じゃないか――

テイラーはベッドの横にそっとクワを置いて、寝ているサザンカを揺らしてみます。

「きゃっ」

驚いたサザンカが目を覚ましました。

「テイラー！　まだいたの！　どうやって入ってきたのよ」

テイラーは視線を扉に移します。

「おばあさまがまだ寝ているからいいけど、見つかったら大変なことになるわよ。

早く帰って」

『おばあさんならベッドに縛りつけた。逃げよう』

「なんてこと！　だめよ、今すぐ離してあげて！」

『きみを閉じ込めている相手なのに？』

テイラーには訳がわかりませんでした。しかしサザンカは譲りません。

「こんなことをしたって、なんの解決にもならないの」

『じゃあきみは一生この檻の中で暮らすの？』

テイラーは書き続けます。

『この家から抜け出そう、今しかない』

「そんなことできない」

『きみのおばあさんは、きみを閉じ込めて利用している』

「おばあさまは私を愛してくれている」

『愛していたら鍵も鉄格子も必要ない』

「おばあさまは不安で仕方ないのよ。ずっとひとりぼっちで生きてきたから」

『じゃあきみの人生は？』

「……」

『その傷は誰につけられたの？』

「……」

テイラーには、サザンカの顔が曇っていく様子がわかりました。

――しまった、言いすぎてしまった――

テイラーはそう思いながらも譲ることはできません。

『おばあさんはきみを傷つけて縛りつけているのに、なんで庇うんだ。きみが悪者になりたくないのなら、僕がなるさ。それとも、本当はおばあさんを許せないということを認めたくないの？』

サザンカの目に涙が浮かびます。

『きみは不自由なんかじゃない。なんでもできるよ。だから一緒にこの家から飛び出そう』

そう言ってテイラーはサザンカに手を差し出しました。

Episode 6　選ぶことを諦めた者

サザンカは迷いながらテイラーの手を握りました。するとものすごい力で体が引っ張られ、気づくと走り出していたのです。うしろを振り返ると、家がどんどん小さくなっていきます。

――なにも知らない私が家を飛び出して、大丈夫なのかしら――

――やっと自由になれたんだもの！　せいせいするわ！――

――でももしおばあさまがあのまま死んじゃったら、私はどんな気持ちを抱くのかしら――

さまざまな自分の声が頭の中でこだましています。

――テイラーのおかげで外に出られたけど、私は本当にそうしたかったのかしら……？――

サザンカは走りながら考えました。足が動けば動くほど、さまざまな思いが頭をよぎります。サザンカは、ついに足を止めました。

「テイラー、ありがとう。あなたのおかげでやっと気がついたわ。あなたのいう通り、私はおばあさまを憎んでもいる。でも、愛してもいるの」

テイラーはサザンカを見つめます。

「私はあなたと一緒には行けない。やっぱり、このやり方は私には正しくないから。おばあさまのひもをほどいて、私なりの逃げ方を選ぶわ。あとね、まだ憎んでいることは伝えられていないのよ」

テイラーはサザンカをじっと見つめました。

「私はね、閉じ込められ方は知っているけれど、閉じ込め方は知りたくないの」

サザンカはテイラーに微笑(ほほえ)みかけます。

「心配しなくても大丈夫。あなたのおかげで、自分の感覚(かんかく)が麻痺(まひ)していたことがわかったから。あなたが出してくれたたくさんの、完璧とはいえないヒントのおかげで、私はやっと知ることができたのよ」

『やられた分だけやり返さなきゃ、〝あいつら〟は痛みなんかわからない』

「やられたからって同じことをやり返していいかどうかは、また別の話なんじゃない？　仕返しだとしても同罪(どうざい)になる。だからそれを背負(せお)う覚悟(かくご)がなければ、同じことはしないほうがいい。私にはその覚悟はないの。だって本来なら私が感じる必要のない罪悪感で苦しみたくないから。だから、別の方法で、戦い方や向き合い方を探してみたいのよ。私にはできるはずだから」

　こちらを見つめるテイラーの目がなにを語っているのか、サザンカにはわかりました。きっとテイラーはずっと、やられたらやり返して、罪悪感と戦ってきたのでしょう。サザンカはテイラーをぎゅっと抱きしめました。そしてテイラーがなにかを書きだす前に、走って家に戻りました。

　家に戻ると、おばあさんは大きな声でサザンカを呼んでいます。

「サザンカ！　助けておくれ！　助けておくれ！」

　サザンカはそれを無視して、手に持っていたクワを使って力いっぱいに、扉を壊しました。脆くなった扉を、足で思いっきり蹴飛ばすと、大きな音を立てて傾きます。

――あんなに大きな扉に見えていたのに、私を閉じ込めていた扉はこんなにも脆かったのね――

「サザンカ、なにをしているんだい！」

　おばあさんの叫び声が耳に届きます。しかしサザンカはおばあさんを一瞥すると、窓に向かっていきました。クワの先を鉄格子に引っかけ、力いっぱい引っ張ると、めりめりと大きな音が響きわたります。

「私ね、おばあさまのことを愛してる。だからこの扉も鉄格子もいらない」

「サザンカ、やめなさい!!」

ありったけの力を込め引っ張ると、木の板がめりめりと裂けながら、鉄格子が外れました。土埃（つちぼこり）と一緒に、部屋には太陽の光が降り注ぎます。

「おばあさまのシチューはね、塩辛くて喉が渇いてしまうの。だからたくさん水が必要なのよ。だから、これからは私のために水を汲みに行きます。そして、鉄格子と鍵のかからないお部屋で、これからは暮らしていく。そうじゃなきゃ、私はいつかおばあさまを置いて行ってしまうから」

そう言いながら、サザンカはおばあさんのベッドの前に立ちました。

「やめておくれ……殺さないでおくれ……」

「殺されても仕方ないことをしていたって思っているの？」

「そうじゃない……そうじゃない……」

「私はそんなことしない。人の自由は奪ってはいけないの」

　サザンカは優しい手つきでひもをほどきました。ベッドに縛りつけられたおばあさんの体は、サザンカよりも小さく、やせ細っています。

――おばあさまったらこんなにも細く、老いていたかしら――

　窓の外を見ると、遠くからテイラーが心配そうにこちらを見ていることに気がつきました。テイラーの足元には、色とりどりの花が咲いているのが見えます。部屋はいつもよりも明るく、窓からは外の景色(けしき)が見渡せました。あまりのまぶしさにサザンカは目を細めます。

――テイラー、次はこのクワを使って畑を耕すから。私はもう、私の人生を選んでいくの。今度は私があなたにおいしいシチューを振る舞ってあげる――

　テイラーにお礼を伝えたくて、サザンカが表に出ると、そこにはもうテイラーの姿はありませんでした。そしてテイラーのいた場所には、一通の手紙が落ちていました。

サザンカへ

きみはもう自由だ。
だってきみはその道具でなんだってできてしまうんだ。
もしもこれから先、
きみを縛るものがあるとすれば、
それはきみしかいない。
だから怖くないよ。

でもね、ひとつだけ言わせてほしい。
きみの体にある傷は、きみにとっては必要がなかったものだ。
だから、もしもきみなりの「向き合い方」が見つかったとしても
きみを傷つけた人を許そうとしなくていい。

きみはきみのまま、自由になっていいんだよ。
僕もきみを見ていろんなヒントをもらったんだ。
本当にありがとう。今度は街で会おう。

テイラー

Episode 7

受け入れられない者

The One In Denial

サザンカの家をあとにしたテイラーは、あてもなく森の中を歩いていました。生ぬるくて重たい風が吹いたあと、ぽつぽつと体に冷たい水滴が落ちてきます。テイラーの頭の中には、サザンカの言葉がこだましています。

「やられたからって同じことをやり返していいかどうかは、また別の話なんじゃない？　仕返しだとしても同罪になる。だからそれを背負う覚悟がなければ、同じことはしないほうがいい。私にはその覚悟はないの。だって本来なら私が感じる必要のない罪悪感で苦しみたくないから。だから、別の方法で、戦い方や向き合い方を探してみたいのよ。私にはできるはずだから」

テイラーはサザンカの言葉を聞いて、これまで自分が〝自分なりの向き合い方〟を避けていたことに気がつきました。

湿気った空気は、今のテイラーの気持ちを表すのには十分でした。空からたくさんの水滴が降りはじめると、テイラーの目から涙が流れはじめました。

——僕はずっと僕の気持ちに蓋(ふた)をして、暴(あば)れていたんだ。本当はやり返したくなんてないこともあったのに。でも僕自身がそれを選んでいたんだ——

たたり山をあとにしてから出会った人たちの顔が、頭に浮かびます。彼らの言葉はどれも耳が痛く、テイラーの心には重く響(ひび)くものでした。

気がつくとテイラーはガラクタ置き場に戻ってきていました。雨に濡れたガラクタたちは、キラキラと反射しています。その中にはテイラーとユウガオが作ったガラクタたちもありました。テイラーはホッとして雨宿(あまやど)りできる場所を見つけ、その中に小さく収(おさ)まりました。

『サザンカにも、自分のことを守ろうとする気持ちがあるじゃないか』

ノートを見返すと、そこにはサザンカに伝えた言葉が残っています。

——昔は雨なんて気にとめたこともなかったのに、僕だってこうして濡(ぬ)れないために雨宿りをしているじゃないか。僕は僕を大切にしようとしているんだ——

そう気づいたとき、なぜか寂しさも込み上げてきました。

――このまま帰れなかったらどうしよう……。神さまは僕になにを求めているんだろう――

すると、バサバサ！っという大きな音がどこかでしました。思わず、テイラーの体は縮こまります。

音が止み、ガラクタの中から顔を出すと、そこにはユウガオがいました。

「エラー！　コンなところでなンにしてンだ！」

ユウガオはなにかに自分のマントをかけていました。テイラーがそれを指さすと、ユウガオはニッと笑いながら言います。

「おでの作品たちが濡れてしまうかンな！　エラーに見せたかったンだ」

マントをめくると、そこには色とりどりのボールが置かれていました。多くのものがユウガオのように「ウロコ」を持っています。その中には、どうやら天使をかたどったものもありました。

「エラーを作ったンだ。おでの友だちだかンな。ガラクタエラーが濡れずに済むンだな」

——ガラクタエラー！——

テイラーはなんだかおかしくなって笑います。テイラーが笑うとユウガオもうれしそうに笑いだしました。

すると、どこかでまたガタガタと大きな音がします。

「ンン？　今日のガラクタ置き場は、なンだか騒がしいなァ」

テイラーとユウガオが音のするほうに向かうと、人間がなにかを捨てていました。

「新しいガラクタが増えるンなぁ！」

ユウガオがうれしそうに言うと、その者が振り返りました。

「そうさ、これはすべてガラクタだよ！」

その人間はたいそう憤っています。人間は七色の色がところどころに入った衣服を身につけ、表情は暗く、目はおちくぼんでいます。

ユウガオは驚いて言います。

「おンめ、怒ってンのかぁ？」

「怒ってなんかないさ！　ガラクタだからね！　僕だってガラクタみたいなものさ！」

捨てられたものを見ると、そこには破れた絵が何枚にも重なり、雨で滲みはじめているのがわかりました。

――すごくすごくきれいな絵なのに――

テイラーはなんだか胸に痛みを感じました。

「僕はもう終わりなんだよ。人生をすべて懸けた作品は全部無駄だったのさ。半分は燃えてしまって、半分はただのゴミだからね！」

人間は口角に泡をためながら言いました。ユウガオは尋ねます。

「これぜンぶ、おンめが描いたンか？」

「そうさ、僕はガラクタを作り出す天才だって言われたよ」

「じゃあおでと一緒だンなぁ」

テイラーはやりとりを聞きながら、絵を眺めていました。

「きみたちは何者なんだ？」

「おではユウガオで、こいつァエラーだ」

人間は少し落ち着いた様子で言います。

「そうか。僕はカズラ。絵描きだった。きみたちもなにかを捨てにきたのかい？」

「ンや、おではここでガラクタをつく……」

テイラーは慌てててユウガオの口を塞ぎました。

――ユウガオ！　この人に〝ガラクタ〟なんて言っちゃダメだよ！――

するとカズラはなにかを察したのか、こう言いました。

「ふーん。なにか事情がありそうだね。そうだ、きみたちにお願いがあるんだ」

「なンだぁ？」

「この手紙を持っておいてくれないかい？　捨ててもいいし、好きにしてくれ」

そういってカズラは一通の手紙をテイラーに渡しました。

「じゃあ僕はここで」

カズラが森の中に消えていくのを見送って、テイラーとユウガオは手紙を読むために座り込みました。

テイラーはお尻がじんわりと露で濡れていくのを感じながら、大きなユウガオに寄りかかり、手紙を開きました。

この手紙を誰かが受け取っているかもしれないし、
ゴミとして処分されているかもしれない。
ただわかることといえば、この手紙は誰に宛てたものでもないということだ。
物心ついたときから僕はずっと悲しい気持ちでいっぱいだった。
この世は地獄と同じように、
薄っぺらい人間が偉そうに薄っぺらいことを述べていて、
人はそれに価値を見つけようとしている。
僕はこの世の中を動かす歯車にしかなれないガラクタだ。
いや、歯車にすらなれていないかもしれないね。

僕にとっては、生きる意味を見つけるよりも、
死ぬ意味を見つけることのほうがずっと簡単なことのように感じてしまう。
この世界は半透明の膜で覆われていて、
その膜は「生きる価値のある人間」にはたやすく破れる。
しかし「価値のない」人間に、その膜は破れない。
だから僕には破ることができないだろう。
その膜は体に張りついて、もがけばもがくほど、僕の体を不自由にする。
やがて息すらすることが難しくなってくる。

僕には能力がない。

能力がないということは、歯車になる価値もないということと等しい。
僕がこの人生で学んだのは、途方もない無力感だ。
僕がこの人生で見つけたのは、行き場のない悲しみと怒りだけだ。

薄っぺらい僕が紡ぎ出した言葉は薄く、膜を取り払えない僕が描く絵には深みがない。

だから僕はほかの方法でこの膜を破ることにした。

人生で最初で最後の勇気をここで振り絞ろうと思う。

そうすればきっと、僕の作品には価値が生まれるだろう。

手紙を読み終えたテイラーは、嫌な予感がしました。ユウガオはどうでしょう。まん丸な目でテイラーを見つめています。

「なあエラー。ひとりぼっちはつらいンだ。わかるか？　ひとりぼっちで勇気を出さンように、おではカズラのところに行くンぞ」

この手紙をユウガオがどう受け取ったのかはわかりません。けれどテイラーはユウガオについていくことにしました。

「おでは目はよく見えンが、鼻だけはいいンだぞ」

ユウガオはズンズンと突き進んでいきます。ユウガオの歩みについていけなかったテイラーは、ユウガオの体毛を引っ張りました。するとユウガオは優しくテイラーを抱えて、自分の背中に乗せました。

「エラーはしっかりつかまっててくンろ」

ものすごい勢いで動き出したユウガオの背中の上で揺れていると、大きな木に登ろうとしているカズラが目に入りました。

「カズラぁ！　なンにしてンだ」

「手紙を読んだのかい」

「おでにはよくわがンなかった」

「そうか……」

「おンめはなにしてンだ？」

「最後の勇気を振り絞ろうと思ってね」

「そンかあ」

「僕はもう死ぬのさ」

テイラーが木を見上げると、太い枝に紫色の実がなっていることに気がつきました。テイラーはハッとしました。

――あれはネモフィラが僕から奪った「毒の実」じゃないか！――

「きみたちがそこにいるのは勝手だけれど、お願いだから、死ぬのを止めないでくれないか？」

「しぬっていうのがよくわがンねが、おンめが選ンだンならおでは止めねえ」

「じゃあ あの木の実をとるから、きみが僕を支えておいてくれないか？」

「おう！　わがっだ！」

ユウガオは木の下に這いつくばり、カズラが登るのを待っています。カズラはユウガオの背中に上り、木の枝に手をかけました。テイラーはあまりにおかしな光景に戸惑いを覚えはじめます。

――死ぬ？　死ぬのを支える？　どうなってるんだ！――

「どンだ？　できそうかあ？　エラーも手伝ってくれ」

――手伝う？　手伝うことなんてできるわけがないじゃないか！――

カズラは背伸びをして木の実に手を伸ばしますが、あと少しのところでなかなか

Episode 7　受け入れられない者

つかむことができません。

「手が届かない」

「おンめは結構重いンだなぁ、おで疲れたさ」

「一度休もう」

そう言って、カズラはユウガオの背中から下りました。テイラーとユウガオ、そしてカズラは木の根に腰掛けます。

「雨雲はどっかいっちまったンな。おでは残念だ」

「雨が好きなんて変なやつだな」

「知ってンか？　海がないと雨は降らないンだぞ」

ユウガオは誇らしそうな顔で言いました。

「そうなのか」

「おでの弟が教えてくれたンだ。おでの弟はおでと違って頭がいいンだ」

「そうか」

「だから雨がないと海がないように、生きてないとしぬもないンだ」

テイラーはユウガオを見ます。

——ユウガオは「死ぬ」をどう捉えているんだろう——

「作るがないと壊すもないンだ。壊すがないと作るもないンだ。だからおンめはおンめを初めて壊して、何かを作るつもりなンだな」

「別になにかを生むつもりはないよ。死はただ訪れるだけだ」

ユウガオはそんなカズラを気にもとめず、言いました。

「腹減(はらへ)ったンなぁ、パン食べるか？」

ユウガオはパンを三つに分け、カズラとテイラーに手渡します。カズラはパンを受け取りながら笑いはじめました。

「死のうとしているのに、腹が減るのは変な気分だ」

テイラーもお腹(なか)が減っていることに気がついて、パンにかかぶりつきました。パサついたパンが渇(かわ)いた口にまとわりついて、テイラーはだんだんと喉(のど)が詰(つ)まる気分になってきます。するとユウガオも同じだったのか、大きな手で胸を叩(たた)きだしました。

「パンが詰まって流れンね。喉が渇いた！」

カズラも同じ表情で言います。

「このパンはなんだ、首を絞められている気分だ！」

「水を飲むンぞ」

3人は一緒に、井戸まで向かっていきます。ずっと我慢をしていたのか、カズラは走って井戸に近寄り、慌てた様子で水を飲みました。

「こんなにうまい水は初めてだ！」

「水はうまいンなあ！　水だ！　水だ！」

あまりに変な光景にテイラーもおかしくなって、笑いが止まらなくなりました。するとユウガオも笑いだします。そんな様子を見てカズラも笑います。

「そうだ、おではおンめの絵が好きだぞ。おでは昔、壊すことが勇気だと思ってたンだ。でもエラーに、作ることも勇気って教えてもらったンだ。おンめのこれまでの〝勇気〟にもマントをかけておいたかンな」

カズラは顔を上げ、ユウガオを見ました。おちくぼんだ目は少しだけ潤いを見せています。

「馬鹿らしくなってきてしまったから、また明日死ぬことにするよ」

「おンめ、家はあるンか？」

「ないよ、全部、燃えてしまったからね」

「じゃあおでたちと一緒にガラクタ置き場で眠ろう」

ユウガオは、テイラーとカズラを背中に乗せました。月の光がユウガオのウロコに反射して、キラキラとまばゆい光を放っています。テイラーは心の中で思うのです。

――ユウガオ、僕も雨が好き。夜も好きだ。きみのウロコがもっときれいに光るから――

ガラクタ置き場に着くと、なるべく寝心地のよさそうな隙間を見つけてテイラーは入り込みました。カズラも同じようにテイラーのいる隙間に潜り込みます。

ユウガオは疲れているようで、近くに座り込むと、そのまま眠ってしまいました。

テイラーは文字を書いてカズラに見せました。

『少し寒いから、くっついて眠ろう』

「きみの翼はあたたかくて優しいな。僕は羽根のない翼のほうが好きだ」

『きみの家は燃えてしまったの？』

「そうさ。近くで山火事が起きてね。木から炎が燃え移ってしまったのさ」

『きみが無事でよかった』

「そうは思わないね。神さまはいじわるなのさ」

そのままカズラは眠りにつきました。テイラーはなんだか悲しい気持ちになって、夜空を見上げます。するとテイラーの心のように、ぽつりぽつりと雨が降ってきました。テイラーは濡れないようにうまく体を丸めると、いつの間にか眠りについてしまいました。

✲

「おおおおおおおんんん」

ものすごい怒号とともに目が覚めると、慌てふためいたユウガオが目に入りました。

『ユウガオ、どうしたの？』

テイラーが尋ねると、ユウガオは目にいっぱいの涙を溜めています。

「カズラァ!!　カズラァ!!　ごめンよぉ！」

「朝からうるさいね、どうしたんだ」

「カズラの絵が壊れちまったンだ！」

目を向けると、カズラの絵は雨に濡れ、破けてしまっています。

「マントが風でとンじまったンだ」

ユウガオは悲しそうに言います。

「どうせゴミだよ、きみが悪いんじゃない」

「ゴミじゃない！　ゴミじゃない!!　ゴミじゃない!!」

ユウガオは破れた絵を掻き集めています。テイラーはその姿に見覚えがありました。

『ユウガオ、のりと紙はある？』

「なンに使うンだ」

テイラーはガラクタ置き場の中からのりと紙を見つけ出し、カズラの破れた絵を貼りだしました。

『カズラがもうこの絵がいらないなら、僕たちで新しい絵を作ろうよ』

ユウガオはハッとした表情をしたあと、うれしそうに言いました。

「カタチを作くンだな！」

そうして破れた絵を集め、絵を貼りつけていきます。

「元の絵もおでは好きだったが、これも気ンいったぞ」

なにも言わず、カズラも一緒に貼りつけています。テイラーはカズラの穏やかな顔に、少しだけ安心しました。しかしテイラーに顔をのぞき込まれた瞬間、カズラは立ち上がりました。

「じゃあそろそろ死にに行こうか」

テイラーは絶望(ぜつぼう)し、寂(さび)しい気持ちになるのを感じました。

――こんなにも楽しい時間なのに――

しかしユウガオは言います。

「じゃあまたおでの背中に乗ればいい」

✲

カズラとテイラーはユウガオの背中に乗って、再び毒の実を探しに行きました。

「カズラはどンな景色の中であの実を食べるンだ？」

「空がきれいに見える場所がいい」

「おン。まずは実を探しに行くぞ」

ユウガオはそう言ってさらに足を早めました。

――最期の場所か――

テイラーはふと思います。

――僕だったらどんな場所がいいんだろう。僕は自分が死んだことを誰に伝えたいだろう――

カズラは僕たちが最期に会う相手でよかったんだろうか？　僕たちが見つける場

所で満足できるんだろうか？　とも思いました。

頬（ほお）に当たる風を心地よく感じていると、ユウガオが急に立ち止まりました。あまりの勢いに、テイラーとカズラはユウガオの背中から転げ落ちます。

「痛い!!　どうしたんだユウガオ」

「ここはどンだ？」

転げ落ちたまま、テイラーが見上げると、美しく伸びた枝葉（えだは）の隙間から、美しい青空がのぞいていました。

「なんて美しい空なんだ。あ！　それにほら、実がなってる！」

ユウガオは昨日と同じように足元に這いつくばり、カズラを乗せます。

「今度は届くかな」

カズラが枝をつかんで実をとろうとすると、鈍（にぶ）い音を立てて枝は折れました。実は倒れ込んだユウガオの下敷（したじ）きになっています。

「またダメだったか」

「カズラ、そしたら別の実を見つけなきゃだめだンな。あの実はどうだ？」

「あれは小さすぎる」

「この実は？」

「その実はまだ熟しきっていないから、僕の最後の食事には適していないような気がするんだ」

テイラーはふたりのやりとりを見ながら、痛みを感じました。慌てて見てみると、無意識に自分の皮膚を引っ掻いていたのです。テイラーの腕には鋭い引っ掻き傷がいくつもありました。

――僕はなにをしているんだろう――

テイラーはカズラの行動に、ひどく動揺していたのです。そしてなにもできない自分を責めはじめました。

――僕にはカズラを止めることも、応援することもできない！――

そんなテイラーを見てカズラは言いました。

「エラー、大丈夫か？　なんだかきみのほうが苦しそうだ」

テイラーはまた、自分の腕を引っ掻きました。するとそれを見たカズラはそっと木から離れました。

「ごめん。僕はきみたちに迷惑をかけてしまっているみたいだ」

「おンめにとって大事なことなンだろ」

「そうだけど……僕を止めないのかい？」

「おンめが選んだことなら、友だちは応援するンだ」

「僕たちはもう友だちなのかい？」

テイラーは強くうなずきます。

『一緒に絵を作ったじゃないか』

「そうか、友だちなんだね」

カズラはうれしそうに微笑みました。そんなことをしていると、あたりはだんだんと暗くなりはじめてきました。

「今日は帰るンか」

「そうだね、今日はもう暗いし帰ろう」

そうして三人は、再びガラクタ置き場に戻りました。テイラーが体を休めようと、昨晩と同じ場所に入ると、カズラが言いました。

「またきみの隣で寝てもいいかい？」

テイラーは少しだけうれしい気持ちでうなずきます。

「実はこんなに楽しい日を過ごしたのは初めてなんだ」

テイラーがカズラに目を向けると、カズラは話を続けます。

「僕はずっとひとりで生きてきた」

テイラーの顔を見ながらカズラは続けます。

「きみもそうなんだろう。きみからもそんな匂いがするんだ」

『匂い？』

「孤独をまとう存在というのは独特の匂いがしてね」

テイラーが慌てて自分の体の匂いを嗅ぐと、カズラは笑いながら言いました。

「ちがうよ、鼻で感じる匂いではなくて、心で感じる匂いなんだ。昨日は僕の孤独な人生にとって一番孤独な日になるはずだった。でもそんな時にそんなきみたちに出会えて、僕にとっての一番孤独だったはずの日は、皮肉なことに、一番孤独ではない日になりそうだ」

『それでもきみは死を選ぶんだね』

「今のところはそうかな」

『生きているうちは死にたい日を選べるけど、死んでしまったら生きたい日は選べない』

「そうなるだろうね」

テイラーは腕を掻きむしります。

『きみが自分の殻に閉じこもるたびに、僕はすごく苦しい気持ちになる』

「どうしてだい？　きみには関係のないことじゃないか」

『関係なくないんだよ。きみの自由ではあっても、関係なくはないんだ』

――きみが自分の苦しみに絶望するたびに、僕も同じように絶望するんだ――

テイラーは心の中で思います。

「関係なく……ないのか」

『僕は、きみの絵をすごくきれいだと思った』

「ああ」

『だからきみがずっと絵を描いてくれるかどうか、僕には関係があるんだ』

「それはきみの勝手だろう」

『そう、僕の勝手。だからこれは僕のエゴだから聞かなくてもいい。でもきみが僕たちに一方的に伝えたように、僕もきみに一方的に伝えさせてもらう』

「いいよ」

カズラは体をテイラーに向けました。テイラーは真っ直ぐカズラを見て言います。

『本当ならユウガオみたいにきみを応援してあげたいんだ。でも僕は明日も明後日も、きみの絵が見たい』

「確かにそれは究極のエゴだ。でも伝えてくれてうれしいよ。ありがとう」

すごく静かな時間が流れました。テイラーとカズラは背中を向け合い、ピッタリとくっついて眠りにつきました。テイラーは背中に、あたたかいカズラの背中を感じました。息を吸って吐くたびに、カズラの背中は上下に揺れます。その心地よさを感じながら、テイラーのまぶたは重くなっていきました。

しばらくすると、ガサガサという物音でテイラーは目を覚ましました。不思議に思ったテイラーがガラクタの中から顔を出すと、ユウガオが地面に這いつくばってなにかをしている様子が目に入ります。

――ユウガオはなにをしているんだろう――

のぞき込むと、ユウガオが懸命に、ちぎれた絵を紙に貼っているのが見えました。

『なにをしているの？』

そう書き込むと、ユウガオは言います。

「わがンねンだ、なんかこれをしなくちゃいけない気がして。明日までにカズラに渡すンだ」

――僕もできることをしたい――

絵のカケラを貼りつけているユウガオの横で、テイラーはカズラに手紙を書きはじめました。

――僕にできることはこれくらいしかないから――

すでに空は明るくなっていました。しばらくするとカズラが起きてきました。

「これは嫌いンか？」

ユウガオの手には切り貼りされた絵が握られています。原形は留めていないものの、それは間違いなく、新しいカズラの絵でした。

「おンめの絵だから、気に入ンなかったら、もうしわげねえ」

「すごく好きだ。僕が今まで描いた絵の中で一番好きだ」

テイラーがなにも伝えずにカズラに手紙を渡すと、カズラは驚きながら手紙に目を通しました。

✵

手紙を読み終えたカズラは、こちらを見て言いました。

「今日は崖がいいよ。空がきれいな崖に行こう」

「おう、また背中に乗ってくンれ」

ユウガオの背中に乗ってしばらくすると、森の切れ間から海が見えてきます。青い海はキラキラと太陽の光を反射しています。

――崖でカズラはなにをするつもりなんだろう――

テイラーは自分の体に緊張感が走るのがわかりました。

「ここはどうか？」

そう言ってユウガオが止まると、カズラはゆっくりと崖に近づいていきました。

本当は大きな声でカズラの名前を呼びたかったテイラーですが、声が出せないことが悔やまれました。

崖を見つめるカズラにユウガオが声をかけました。

「おンめの好きな崖じゃないンか？　好きな崖、探すか？　おンめの好きな実だってもっといっぱいあるンと思うぞ。おンめが納得するまで、おでは探すンからよぉ」

ユウガオの勢いに、カズラは笑います。

「気に入る実も崖も、見つからないかもしれない」

「おンめひとりなら見つけるのは大変だンな！　この世界に何個の実と、何個の崖があるンと思ってンだ。でもおでとエラーと一緒なら探せるンぞ」

「そうだね。そう思うよ」

「それよりも先におンめの家を作らなきゃだめだンな。家が大事だってアサガオが言ってたンだ」

するとカズラはこちらを振り向いて言いました。

「それもいいかもしれないね。今日は家を建てるための木を探すよ」

カズラへ

きみが自分に宛てた手紙に、勝手に返事を書いて申し訳なく思う。

きみが明日どんな選択(せんたく)をするかは僕にはわからない。

でも友情なんてエゴの繰(く)り返(かえ)しだと思うんだ。

僕はユウガオの明日を見てみたいし、カズラの明日だって見てみたい。

でもそれをエゴととるか、そうではないととるかは人それぞれだと思うんだ。

みんな自分の見たい世界を見られるからね。

きみにとって見たかった世界はもしかしたら
自分の価値を測られてしまう世界だったのかもしれない。
世界は、きみが見たいように見られるんだ。
この世界をきみの好きな世界にするためなら、
僕はなんだってするさ。

ユウガオも「価値」の話を僕にしてくれたんだ。
僕も「自分の価値」についてずっと考えてきた。
でもそもそも「価値」なんてものは
実はものすごく揺らぎやすいものなんじゃないかな。
だからなにがすばらしい絵で、
そうでないかなんてわかるはずはないんだ。
でもきみの絵は「いいな」って思った。
それがすべてなんじゃないかな。

今はうまく説明できないけれど、
もしかしたらいつかその説明ができるようになるかもしれない。
だからそれまではきみに待っていてほしいんだ。
本当はさ、きみがたくさん悩んで出した答えを
心から応援できたらいいのかもしれないけれど。

明日また帰ってきたら、一緒に新しい絵を作れるよ。
僕はそれを見るのが楽しみだ。
今日は、きみが絵を描きたくなるような場所へ行こう。
そうやって約束をしていったら、
人生なんてあっという間なのかも。

エラー（別名：テイラー）より

Episode 8

自分を偽る者

The One Pretending To Be Someone Else

ガラクタ置き場を出たテイラーは、まだこの世界について全然知らないことに気がつきました。

――少し街に出てみよう――

そう思い、テイラーは街まで歩いてみることにしました。

ガラクタ置き場とは違い、街には活気が溢れています。さまざまな〝カタチを持った者たち〟が街を闊歩していました。

すると、どこからかいい香りが漂ってきます。テイラーのお腹はぐうっと音を立てました。

――お腹空いたな――

ふと、テイラーは思い出しました。ポケットに手を突っ込むと、数枚の金貨がチャリチャリと音を立てます。

――ネモフィラ、使わせてもらうよ――

テイラーは心の中でネモフィラにお礼を言うと、おいしそうな香りが漂う建物に入っていきました。そこは、大勢の人でにぎわう食堂でした。

テイラーは、入り口の近くにあった小さな椅子に腰を下ろし、店内を見回しました。あちらこちらから笑い声が聞こえてきます。

――なんて楽しそうで騒がしい場所なんだろう――

大勢の声が一度に耳に飛び込んできて少しくらくらしながらも、テイラーはその様子を眺めています。

「注文はどうしますか？」

テイラーが顔を上げると、にこにこ笑うお面が目に飛び込んできました。

「すてきなお面ですね！」

お面をかぶった人間は、テイラーにそう声をかけ、微笑みます。テイラーは少しはにかむと、メニューにある食べ物を指さしました。

「はい！　わかりました！　ゆっくりしていってくださいね」

すると「テン！　こっちもお願い！」と、呼ぶ声があちらこちらから聞こえてきます。

「今行きますね！」

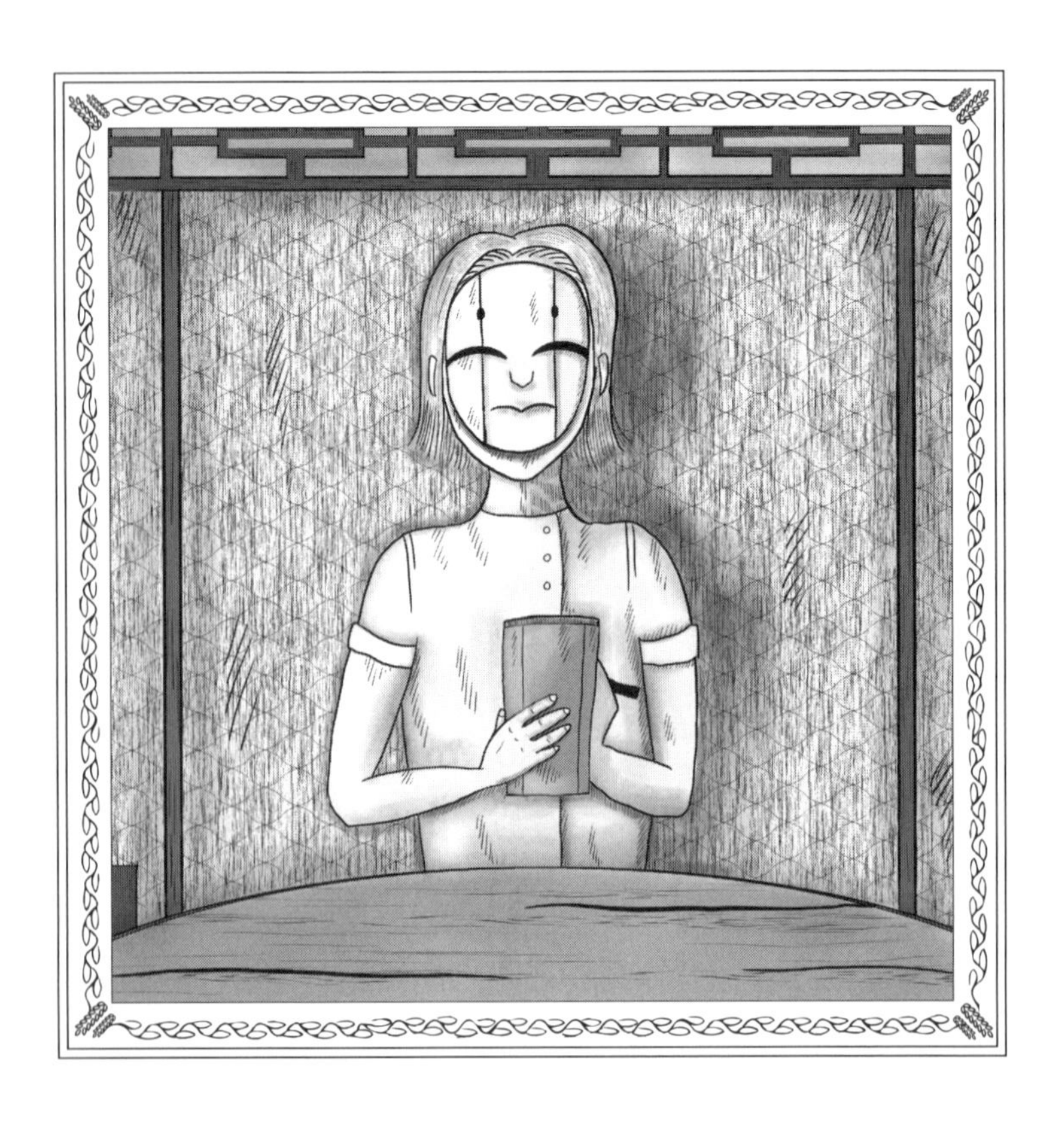

そう明るく答えると、お面の表情を変えることなく、テンはテーブルからテーブルへくるくると飛び回ります。

しばらくするとテンが食事を運んできました。テイラーの目の前に置かれたのは、黄金色に光るスープです。具材はどれもこれもひと口サイズ。まるでテイラーの口に合わせて切られているかのようでした。波打つ表面を見ていると、テイラーのお腹がぐうっとなりました。

「どうぞ召し上がれ」

スープをひと口流し込むと、そのあたたかさが体に染み渡ります。もうひと口、さらにひと口と口に運ぶごとに、テイラーの体は内側から元気になってくるような気がしました。

テイラーはペンを取りました。

『とてもおいしいよ』

そう伝えると、テンはお面を一枚剥がして言いました。

「ありがとう、あなたのことを思いながら作ったの」

さっきまでの笑顔のお面の下からは、優(やさ)しい表情のお面が出てきます。

『僕のことを思って作ったって？』

「あなた、少し疲れていそうだったから、スープには夏草花(かそうか)と茶樹(ちゃのき)キノコが入っているの」

『それを食べると元気になるの？』

「元気になるはず。この食堂はね、その人の表情に合ったスープを出しているの。疲れが溜(た)まっている人にはアザミ、痛みがある人にはイタドリ、皮膚(ひふ)が弱い人にはコゴミ、咳(せき)がある人には陳皮(ちんぴ)……を加えたりね」

『僕のお面の下の表情が見えるの？』

「顔だけを見てるわけじゃないわ。みんな体全部で表現しているの」

そうやってテンはさまざまな情報(じょうほう)を感じ取りながら、お客さん一人ひとりを思ってスープを出しているのです。

しかし、テイラーは不思議(ふしぎ)に思いました。

『どうしてテンは元気にならないの？』

テンは驚いた様子でこちらに顔を向けます。

「どうして？　私は元気よ」

テイラーは続けます。

『テンはみんなを元気にしているはずなのに、なぜか僕には悲しそうに見えるんだ』

するとテンはお面をさらに一枚剥がして言います。

「それはあなたがそう見たいから。私は笑っている」

確かにまたお面の下のテンの顔は、笑顔でした。それでもやっぱり、テイラーにはテンが笑っているようには見えなかったのです。

✵

スープを食べ終えてお腹いっぱいになったテイラーは、食堂をあとにして街の中を歩きだしました。あたりを見渡すと、たくさんの人たちが思い思いに過ごしています。

誰かと笑う者、喧嘩をしている者、ひとりでたたずむ者——彼らを眺めながら、テイラーは今まで出会った人たちに思いを馳せました。

テイラーは不思議に思います。

——ユウガオたちと街に来たときは、この街の人たちに憎しみを覚えていたのに、今はなんだか心が穏やかだ——

人間はいろいろな顔を持っているのだな……とテイラーは思いました。すると、見覚えのある姿が目に入ります。

——サザンカ！——

サザンカは両手いっぱいにふわふわとしたものがついた枝を抱えながら、市場で果物を選んでいました。近寄って服の裾を引っ張ると、サザンカは振り向きました。

「テイラーじゃない！　こんなところでなにをしているの？」

テイラーが食堂を指さすと、サザンカの表情が明るくなります。

「テンのお店に行ってきたのね」

『知り合いなの？』

「ええ、私もおいしいスープをテンに習おうと思って来たのよ」

『おばあさんのために？』

「ううん。おばあさまのためじゃなくて、私、働こうと思って」

テイラーはびっくりして、ペンを走らせます。

『家から出られるようになったの？』

「テイラーにお礼が言いたかったのよ。もうあの不気味な部屋はなくなったの。あなたのおかげで、私は今こうして外に出られるようになったのよ！　これはどう見たって、大きな一歩でしょう？」

テイラーはなんだか胸のあたりがあたたかくなるのを感じました。

「これはテンに買ったものなんだけれど、あなたにもひと束あげる」

『これは？』

「ネコヤナギ。ふわふわでかわいいでしょう？　あなたにも自由を」

テイラーはサザンカからネコヤナギを受け取ると、顔に近づけてみました。ふわふわと優しい感触が鼻をくすぐります。

「またね！」

サザンカは颯爽と、街の中に消えていきました。振り返らないサザンカを見て、テイラーは笑いました。サザンカはもう、どこにだって行けるのです。

✵

再び歩きはじめると、だんだんとあたりが暗くなってきました。街には夜が訪れ、建物は大きな影へと染まっていきます。縁取られた窓からは、部屋の灯りが漏れはじめました。

――この窓一つひとつに、それぞれの生命が詰まっている――

テイラーには窓からこぼれ出す灯りがまぶしすぎて、なんだかめまいがしてきます。テイラーにとって街は、「居場所」ではなかったのでしょう。

――早くガラクタ置き場に帰ろう――

Episode 8　自分を偽る者

テイラーが足を早めると、きれいに連なったタイルの上に落ちているお面が目に入りました。見覚えのある笑顔のお面。まるで道標のように連なっています。

一枚ずつ拾い集めながら進んでいくと、そこにはテンがうずくまっていました。

「うう……取れない……取れないの……」

『なにをしてるの？』

テイラーが近寄っていくと、テンはビクッとして飛び跳ねました。目の前にいるテンは、昼間にあったテンとはまるで別人です。

「ああ、あなた、お面の人……」

『なにを取ろうとしているの？』

「私のお面よ」

『食堂では外していたじゃないか』

「お面の下もお面なのよ」

確かに、昼間に見たお面の下の優しい顔も、テンのお面でした。

――どこまでがお面なんだろう――

テイラーが不思議そうに見つめていると、テンが尋ねてきます。

「あなたのお面は取れる？」

『うん。取れないんじゃなくて取らないんだ』

「どうして？」

『みんな僕の顔を見て、都合よくなにかをわかろうとするからだよ』

「私もあなたみたいな気持ちでお面をかぶれたらいいのに」

『それはきみの意思でつけてるわけじゃないの？』

「最初はかぶりたくてかぶっていたんだけど、いつの間にか取れなくなってしまっていたの」

『見せてくれる？』

テイラーが見ると、確かに何重にも重なったお面はピッタリと顔に張りついています。

「無理に剥がそうとするととっても痛いの」

『きみはいろいろな効果のある食べ物をよく知っていたよね。お面を剥がす食べ物はないの？』

「残念だけど、そんなものない」

『いつから剥がれなくなった？』

「わからない。今まで剥がそうと思ったことがなかったのよ」

『なんで笑顔のお面にしようと思ったの？』

「笑っていればお互いに安心できるでしょ？」

『僕にはわかんない、ずっと笑顔のままいられると気味が悪いよ』

テンは遠くを見つめます。

「そう言われたのは、初めてだな」

テンは噴水に腰掛け、テイラーのノートを見つめています。そしてテンは「ペン貸して」と言うと、テイラーのように文字を書きはじめました。

『名前は？』

『テイラー』

『なんで片方の翼に羽根がないの？』

『全部むしった』

『痛かった？』

『ううん、痛くない』

するとテンは優しく、テイラーの翼を撫でてきました。

『同情しなくていいよ』

『違うの、柔らかそうだったから』

お面の下でテンはくすくすと笑います。テイラーは言いました。

『テンは孤独の匂いがする』

『孤独の匂いってなに？』

『友だちに教えてもらったんだ。きみは大勢の楽しい人間たちに囲まれているけどひとりぼっちだね』

テンは目を丸くしています。

『誰かといるときのきみは、きみであってきみじゃない』

『私は、相手が見たい私に徹しているだけ』

『だからきみのスープは完璧においしい』

テンはテイラーの文字を見て止まります。テイラーは書き続けます。

『だから時々、疲れてしまわない？』

テイラーはテンと〝話し〟ながらうすうす勘づきはじめていました。――僕とテンは、表現が違うだけで根っこは一緒だ――と。

テンは笑顔を見せることで、それ以上、誰も近づけないようにしていました。テイラーは暴れん坊になることで、誰かの存在を遠ざけていました。ふたりがかぶるお面は、柔らかい心を隠すための盾で、誰かから触れられることが怖くて仕方なかったのです。

するとテンは、紙になにやら長い文章を書き込んでいます。テイラーはその手を制止しました。

『伝え方を僕に合わせなくていいよ。きみは口を使って』

テンは口を開きます。

「自分らしさってなんだと思う？」

『自由と不自由の間を散歩すること』

「難しいことを言うんだね」

『自分らしくいないほうが、苦しいけどずっと楽だよ。だってカタチに従えばいいだけだもの』

「うん」

『自分の見たくない自分も見つけなきゃいけないのって苦しいし』

「なんだかそれを聞くと、自分らしくいないほうがいい気がしてきた」

テイラーは少し沈黙して、首を横に振りました。

『確かにその瞬間は楽かもしれないね。でも長い年月で見れば、自分らしくいないほうが苦しい』

「どうして？」

『だって自分で自分を庇わなくちゃいけなくなるし、本当に出会うべき相手に出会えなくなってしまう』

「出会うべき相手？」

『きみの心の中にしまった箱を、一緒に持ってくれる相手』

テンはそわそわしながらお面を剥ぎました。

「そんな人、どこにもいないよ」

『そりゃお面をかぶったままでは見つからないよ』

テンはもう一枚お面を剥がしました。

『それを剥がすのは痛いの？』

「うん、少しだけ」

テンはまたお面を剥がします。

「あなたはどうなの、テイラー。あなたこそ苦しんできたんじゃないの？」

『ずっと苦しいよ』

「あなたも偽ることを選んできたんでしょう？」

『そうだよ。みんながこうだって思うテイラーの姿になってた』

「それはどんな？」

『暴れん坊だって言われたら暴れん坊になったし、いじわるだって言われたらいじわるなことをした。そう望まれているような気がして』

テンはテイラーに顔を向けます。

「同じだね。いい子って言われたらいい子に振る舞うし、優しいねって言われたら優しくすることしかできなくなってしまう」

『言霊だね。そうやって僕たちは少しずつ言葉の呪いにかけられてきたんだね』

「私たちは表現の仕方が違うだけで、よく似ているね」

テンはぽつりぽつりと話しだしました。

小さいころから笑顔でいることが多かったこと、そうすれば大人たちが優しくしてくれたこと。いろんな笑い方を覚えたこと、悲しくても笑ってしまうこと。

「みんな、誰かに期待しながら生きているでしょ。最初は、そんな誰かの理想とする相手になれたらうれしかったの」

『テンはいい子になりたいの？』

「いい子になりたかったけど、本当の私はいい子なんかじゃない。そう見られていたほうが安心するだけ」

『役割があると安心するよね』

「でも本当は、私が理想としている誰かを重ねていただけなのかも」

『理想の誰か？』

「私が今まで誰かにしてきたことは、私がしてほしかったことなんだと思う」

テンは顔を上げると、話し続けます。

「でも誰もしてくれなかったから、私が自分でそうするしかなかった」

ノートのページは文字で真っ黒になり、ふたりの周りには剥がれたお面が散らばっています。

『テンは不気味だ、怖いよ、笑顔だけど怒っているから』

「怒っていないよ」

『怒ってるさ。怒ることだってあるさ』

「もう忘れちゃったもの」

『テンは悲しんでもいる』

「私は悲しくて、怒っている」

『テンは悲しくて、怒っている』

テイラーとテンは、繰り返しながらつぶやきます。なんだかおかしくなって、ふたりは顔を見合わせてくすくすと笑います。

『お面を作れたなら、壊すこともきみにはできるよ』

テイラーが言うと、テンはテイラーを見つめました。

『きみは誰かのために笑わなくていい。自分のために笑ったり、怒ったり、悲しんでいい』

「あなたは呪いを解く魔法使いなのかしら？」

『みんなは僕を悪魔って呼んでた』

「あなたがたとえ悪魔だとしても、私にとってはすてきな存在だよ」

テイラーはまた、心にあたたかいものが広がるのを感じました。スープもおいしかったけれど、テンの言葉のほうがよほど元気になれるのです。そしてテイラーはテンの手を握って伝えました。

『きみの表情はきみだけのものだから。誰にも、悪魔にも、奪えないよ』

テンはテイラーの手をそっと握り返しました。もうお面を剥がすことはしません。

気がつくと空がすっかり明るくなってきています。テンは立ち上がりました。

「テイラー、ありがとう。話せてよかった」

『どこかに行くの？』

「そろそろお店の準備をするのよ」

『今日はもうやめたらいいのに』

「それはできないよ。待っている人がいるから」

『自由と不自由の間を散歩することにしたんだね』

「それが、私らしいでしょう？」

お別れをするとき、テンとテイラーはぎゅっと抱き合って、お互いの背中をぽんぽんと叩きました。重かった荷物をはたき落とすように。

✲

テンは街並み(まちなみ)を眺め(なが)ながらお店に帰りました。調理場(ちょうりば)に立つと、いつものようにさまざまな食材をお客さんが食べやすい形に切っていきます。スープの仕込み(しこ)を終えたころ、テンは店の外に人影(ひとかげ)を感じました。

ドアを開けてみると、そこには一通の手紙が落ちていました。テンはその手紙を拾い上げると、そっと開きます。

テン

僕たちは誰にも好かれなくていいし、嫌われなくてもいい。
僕たちがそれをコントロールできていたように、
誰かの評価なんて曖昧(あいまい)で揺ら(ゆ)ぎやすいものなんだ。
だから、そんなもののために僕たちがすり減る(へ)必要(ひつよう)なんてない。
誰かのために生きてしまったら、いつかは誰かのせいにしてしまう。

誰かのせいにしてしまうと、
自分で解決することができなくなってしまうと思う。
だから僕たちは、自分を守るために、自分のために生きたほうがいい。

もしもお面が外れなかったとしても
笑顔で表現できるものもあるかもしれない。
嫌いなお客さんがいたら、まずいスープを出してもいい。
きみのスープに救われる人はいるかもしれないけど
きみが救われなきゃ意味がないんだ。
きみがきみのために作ったスープを僕は飲みたい。

どうか自分の気持ちに正直に生きて。
「自分らしさ」とは苦しみから解放されるための特効薬じゃなくて
人生の苦しみを幾分かマシにする救いのようなもの。

僕はこれからも、自由と不自由を楽しんでいこうと思うよ。
きみがお面を外すときのヒントになれば。

テイラー

テンはこのときになって、テイラーと交わした言葉や時間がじんわりと心に広がっていくのを感じました。テンの胸は締めつけられたように熱くなって、涙がぼろぼろと流れ落ちました。慌てて涙を拭うと、手には濡れた紙のようなものが張りついています。

テンが鏡をのぞき込むと、そこにはお面ではない、自分の顔がありました。それを見たテンは、大きな声で笑いました。まるで赤ちゃんのように、笑い続けました。

Episode 9

言葉を持たない者

The One Without A Voice

テンに手紙を届けたあと、テイラーが街から出ようとしていると、裏道の壁一面にポスターが貼られているのが目に入りました。

お手伝いをしてくれる方を募集しています。

address XXXXXX

なんとなく気になったテイラーが書かれていた住所に向かうと、森の奥にある赤い屋根の家にたどり着きました。

テイラーがノックすると、「はーい」と返事をする声が返ってきます。すると中から不思議な機械に乗った人間が顔を出しました。

テイラーを見るなり、その人間は「お手伝いの人！」と目を丸くしました。

「ありがとう、とても困っていたの。どうか手を貸してくださる？」

そう言って、テイラーを部屋の中に招き入れます。

「私の名前はセージよ、よろしくね」

テイラーは自分の名を書いたノートのページを見せました。

「あなたはテイラーね。こちらへどうぞ」

玄関には、セージともうひとりの人物が仲良く笑う写真が飾られています。ふと家の中を見渡して、テイラーは気がつきました。そういえばこの家にあるものはすべてが〝つがい〟なのです。

テイラーの視線が気になったのか、セージは背を向けたまま立ち止まって言いました。

「写真に写ってるのはね。サルビアっていうの。ここにはいないわ。」

なんとなく踏み込んではいけない雰囲気を感じたテイラーは、黙ってセージについていきました。

テイラーは木の椅子に腰掛けると、セージに尋ねました。

『なにをすればいい？』

セージは手元にある機械を撫でながら答えました。

「私の言う通りに機械を組み立てる作業を手伝ってほしいの」

テイラーがうなずくと、セージは尋ねました。

「あなた、声は出ない？　喉は震えさせられる？」

質問の意図がわからずに首をかしげていると、セージは言います。

「私は機械を開発しているの。あなたさえよければとっておきのものを貸してあげるわ」

するとセージは部屋の奥からなにやら取り出してきました。

「あなたの体のつくりが私と同じなら、これが使えるはずよ」

そう言いながらテイラーの首に首輪のようなものをつけます。

「なにか話そうとしてみて」

「えええええええおおおおおおおううううううう」

「成功みたいね」

テイラーが喉を震わせると、まるで声のように機械から音が鳴ります。

「これはすごい発明だよ」

「私は発明家なの。このボイスチェンジャーは、喉の振動から言語のカケラを読み

Episode 9　言葉を持たない者

取っているのよ」

テイラーはすっかり感心してしまいました。

「テイラーにはね、相手の気持ちが読み取れる機械の開発を手伝ってほしいのよ」

「相手の気持ちを読み取れるの？」

「まだ仮説段階なんだけど、仕組みとしてはそのボイスチェンジャーと似ている」

「なんだか難しそうだね」

「眼球の動きや心拍数、発汗量を計算してその人の感じていることを読み取るのよ」

セージは少しだけ誇らしげでうれしそうに答えました。テイラーは疑問に思ったことを口にしました。

「誰か心を読み取りたい人がいるの？」

「うん、そうね……たくさんいる」

セージはそれ以上なにも答えませんでした。そして計画書を手にすると、丁寧にテイラーに指示をしていきました。

「ここはね、こうなの。そうそう。上手ね」

テイラーは悪い気はしません。そして言われた通りに手を動かします。

「セージは昔から機械を作っていたの？」

「そうよ。お父さまには反対されていたけれど」

「お父さんは厳しかったの？」

「そうね、なんでも反対する人だった。サルビアとのことも、ものすごく怒ったわ」

「どうして？」

「お父さまの思い通りじゃなくて、気に入らなかったのよ」

聞いたことに対しては、セージは丁寧に教えてくれました。久しぶりに声を取り戻したテイラーには、セージに聞きたいことが山ほどあります。

「機械は全部自分で作っているの？」

「ううん、サルビアがいたときは、彼女と一緒に作っていたの」

――サルビアの話をしているセージは悲しそうだ――

テイラーはセージの顔をのぞき込みながら思います。

「サルビアはもう帰ってこない？」

「そうね、もういない」

セージは作業をしているテイラーの横で、ぽつりぽつりと話しだしました。

セージは父親とふたりでずっと暮らしてきたということ。幼いころからセージは人との付き合いが苦手であったということ。機械を作り続けるセージに、父親がずっと反対してきたということ。ついに耐えきれなくなったセージが家を飛び出したときに、サルビアに出会ったということ。

「サルビアはね、私の機械をたくさんほめてくれたの」

「今までは逃げるように機械を作り続けていたけれど、サルビアに出会ってから、自分の子どもだと思って機械を作れるようになったの」

そうこうしているうちに、大きいヘルメットのような機械ができあがってきました。ピカピカと光る機械を前に、テイラーは思います。

――これで心を読み取るなんて……まるでロボットみたいだ――

「一度試してみましょう、テイラーつけてもらえる？」

　テイラーがうなずくと、セージはヘルメットをテイラーにかぶせました。機械から伸びる触手のようなものを、テイラーの皮膚に貼りつけていきます。テイラーにはずしんと重い感触が体にのしかかります。

「感情がわきあがるまで、なにかを思ってみて」

　テイラーはテンのお店で食べたスープを思い出してみました。するとテイラーと機械を繋ぐ線は、強く吸着してきます。

トトッ
《ＴＨＩＲＳＴＹ（喉が渇いた）》

　セージは画面を見ながらテイラーに聞きました。

「喉が渇いたの？」

「うーん、そうとも言えるけど、〝空腹〟のほうが近いかも」

　セージは肩を落とします。

「改良が必要ね」

　テイラーがヘルメットを脱ぐと、セージは再び手を動かします。そしてテイラーに声をかけました。

「テイラーはどこからやってきたの？」

「たたり山だよ」

「あの山は人が住めたのね」

——人じゃないんだけど——

テイラーは複雑（ふくざつ）な事情（じじょう）を話すことが億劫（おっくう）になって、そのまま「人」でいようと思いました。

「あなたは旅をしているの？」

「そうだね、目的のある旅をしているんだ」

「ゴールはもうすぐ？」

「正直（しょうじき）、わからなくなってきてしまったんだ」

「旅の道標（みちしるべ）はあるの？」

「途方（とほう）もないよ」

するとセージは思いついたように言います。

「もしも誰かに尋ねたかったら、アザミのところに行ってみて。いい人ではないけれど、なんでも知っているよ」

しばらくするとまたセージの手が止まりました。

「これはどう？」

調整を終えたセージはもう一度テイラーにヘルメットをかぶせます。

「なにか思ってみて」

テイラーは目を開けたまま、故郷のことを思い出してみました。そこで体験した数々の苦しかったことを思い出しながら、乾いた笑いが沸き起こってきました。

トトッ

《HAPPY（うれしい）》

「〝うれしい〟って出てるわ。どう？」

セージは期待を込めて尋ねます。

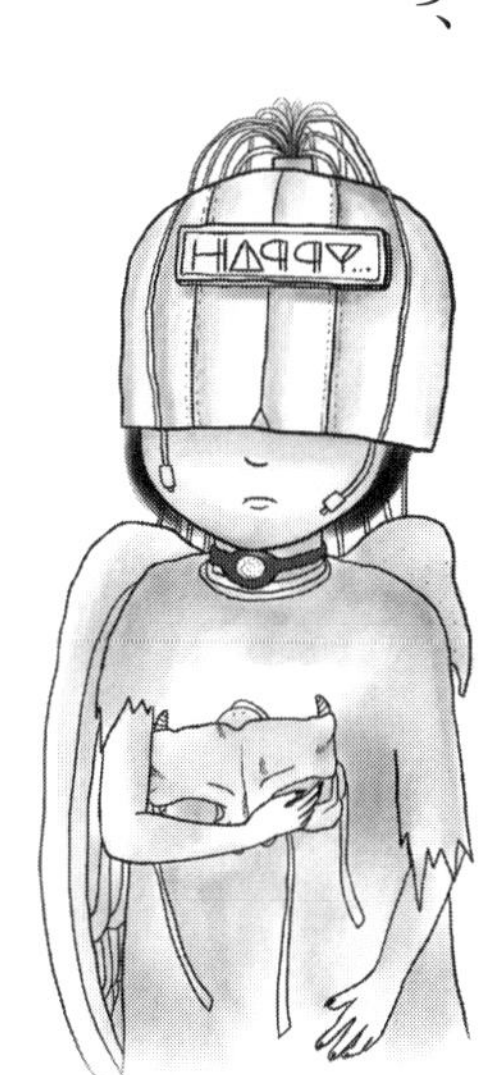

「うーん違うな」

「〝うれしい〟じゃないの？」

「どちらかといえば〝怒り〟かも」

テイラーがそう伝えるとセージは絶望したように言いました。

「どうしてみんな心と体がちぐはぐなのよ！」

テイラーはセージに言います。

「そう単純に生きられたら楽なのにね」

「どうして人間は、心で思っていない反応が体に出るのかしら」

「神さまがそうつくったのかも」

「なんて難しいんだろう……」

落ち込むセージに、テイラーは機械を指さして言いました。

「シンプルじゃないから、こんなに難しい回路のものを体の外側に作れるようになったのかも」

セージは納得したように、手を動かしはじめました。再び、おしゃべりがはじまります。

「テイラーは一緒に暮らしている人はいる？」

「いない」

「寂しくないの？」

「寂しくないよ、これからもいないと思う。誰かと暮らすのは大変さ。僕にとってはひとりでいるのが当たり前なんだ」

テイラーが言うと、セージはこちらを見て言いました。

「それがあなたにとっての完全体なのね」

「セージは？」

「私はサルビアとふたりでひとつ」

「それで完全体なんだね」

「ひとつとひとつで生活することもあるだろうし、半分のままでひとつの場合もあるね」

「難しいなぁ」

「人間は難しい。みんな違って、あべこべでちぐはぐ」

セージとテイラーは手を動かしながら、顔を見合わせて笑いました。

「どうしてセージはサルビアと暮らしだしたの？」

「一緒に暮らしたいなって思ったから」

「シンプルだね」

「小さな約束が積み重なっていったのかも」

「約束？」

「『一緒にご飯を食べよう』からはじまって、『明日も会おう』が重なって、今度は『一緒に暮らそう』って約束して。それをふたりで守り続けたから一緒にいたの」

「今は？」

セージはひと息ついてから答えました。

「人間って不思議で、約束を守ることからはじまったものが、そのうち〝約束を破れる相手〟になっちゃったりするから……。明日ご飯を食べよう、が食べられなくなって、健康でいよう、が守れなくなって。そうすると一緒にいられなくなってしまうのよ」

テイラーは悲しそうなセージの顔を見つめます。するとセージが提案をしました。

「今度は私が機械を試してみてもいいかしら？」

そう言って、機械を身につけはじめます。

トトッ

《SAD（悲しい）》

「悲しいの？」

「悲しい」

「成功じゃないか！」

望んでいた結果が出ているはずなのに、なぜだかセージの表情は晴れません。テイラーがのぞき込んでいると、セージは言いました。

「悲しいだけじゃなくて、寂しいし、もやもやするの。だから、これだけじゃ私の気持ちは汲み取れているとは言えない」

テイラーは驚きました。しかしセージは止まりません。

「失敗よ！　そもそもシステムに問題があるのかも……」

そう言ってセージは図面をのぞき込み、黙り込みました。テイラーは気まずくなって窓の外を眺めます。すると、いつの間にか夜が訪れていました。

「この機械を開発しはじめたのはいつ？」

「3か月前からずっと考えているの」

「何回も試しているんだね」

「これで1000回目よ」

テイラーはいいことを思いつきました。

「ねえセージ。きみの開発はすばらしいよ。僕はきみのおかげで、こうしてきみと声での会話ができてる。もしかしたらこの機械も何年後かにはできあがっているかもしれない」

テイラーは続けます。

「でも、もしかしたら今のきみの心を伝えるために、もっといい方法があるかもしれない」

セージは眉をひそめました。

「そんなものがあるとは思えない」

そこでテイラーは便箋とペンを差し出します。

「ねえ、本当はサルビアに伝えたいことがあるんでしょ？　書いてみなよ」

「そんな……」

「じゃあ僕が書くから、言ってごらん」

セージはしばらく黙り込んだあと、小さな声でつぶやきました。

「寂しい」

サルビア、寂しい

「そのまま書くのね」

「きみの思いをそのまま書くのが一番だよ」

セージは少しだけ納得をした様子でした。

「サルビアに会いたい」

「あなたがいなくてとっても寂しい」

「あなたを怒らせてしまってごめんなさい」

セージの言葉は止まりません。テイラーは尋ねました。

「きみが書くかい？」

するとセージはペンを受け取って、まるで機械を作るように黙々（もくもく）と手紙を書き進めました。


サルビア、寂しい。

サルビアに会いたい。

あなたがいなくてとっても寂しい。

あなたを怒らせてしまってごめんなさい。

私はずっと人間が苦手だった。

だって人間ってちぐはぐで、難しくて面倒臭い。
笑ってると思ったら泣いていたり、怒っていると思ったら笑っていたり。
私には言葉が難しい。人間の感情を読み取ることが難しいの。
だからあなたのことも知らない間に傷つけていたかもしれない。
でもね受け取ることは難しくても、
私の気持ちのちぐはぐじゃないところは伝えられるのかもしれない。

あなたが一緒にいてくれたから、私はひとりじゃなかった。
あなたと作る機械は、私にとってはまるで子どものように愛らしく映る。
あなたが私にくれたものはたくさんあるけれど、
私はあなたになにかを与えられたかしら。

仮に誰かが私たちの存在を否定したとしても、私たちの存在は真実なの。

あなたと使ったフライパンの底は傷ついているし、
私たちのお気に入りの靴底はすり減っている。
ふたりで座り続けたソファは、ふたりのお尻の形に沈んでいるし、
私たちが丁寧に水をやり続けた植物は今も生き続けている。
だから、あなたと私の存在は証明し続けられる。

サルビアに会いたい。あなたの匂いが恋しい。
あなたの素肌に触れたいと思う。
あなたの顔に刻まれるシワの一つひとつが、あなたの歩んできた人生なら、
私はそれをずっとずっと見つめていたかった。
あなたがなにかを失ったら、私はそれを補う機械を作るわ。
私には限界がたくさんあるから、あなたが欲しいものは私が全部作るの。
愛してる。

心の底から愛してる。

セージは目にいっぱいの涙を溜めながら、一生懸命、ペンを走らせました。テイラーはその様子を見ながら思います。

――なんだ、伝えられるじゃないか――

どれくらいの時間が過ぎたでしょう。セージは机から離れませんでした。まるで記憶をたどるように、時には泣きそうに顔を歪めながら書いています。

するとドアがガチャガチャと開き、夜の風が部屋に飛び込んできました。

「セージ、ただいま」

そこには写真に写っていたそのままのサルビアが立っていたのです。セージは目をまん丸くしながらサルビアを見つめています。

「帰っておいでって言われた気がしたの。ひとりにしてごめんね」

セージが慌てて立ち上がると、ヘルメットがゴロンと転がります。ヘルメットの上に、セージの涙がこぼれ落ちました。

トトッ

《ＳＡＤＳＡＤＳＡＤＳＡＤ》

それを見てテイラーは尋ねます。

「セージ、悲しいの？」

「ううん、うれしい」

「ちぐはぐだね」

にっこりと笑うセージを不思議そうな顔でサルビアは見つめます。セージはテイラーの肩に手を置いてサルビアに言いました。

「テイラーよ。お手伝いをしてもらっていたの」

サルビアは片手をあげて挨拶（あいさつ）をしてくれました。テイラーも同じようにサルビアに挨拶をしました。そして思い出します。

「セージ、渡すものがあるんじゃない？」

セージはサルビアに駆（か）け寄（よ）って手紙を渡（わた）します。

「おかえりなさい」

寝静まった家の中で、テイラーは手紙を書いていました。

✲

セージ

きみの機械は失敗じゃないよ。

約束を破ってしまったとしても、それも失敗じゃない。
きみが伝えようとする限り、きみが諦めない限り、
それは失敗じゃない。

きみとサルビアの約束が、今晩からまたつづいていく。
人間はあべこべで、ちぐはぐなのは変わらないから、
こうして愛が生まれるのかもしれないね。

きみのちぐはぐと、サルビアのちぐはぐが
これからもうまく噛み合っていけたらいいね。

きみが言うように、きみの中の真実はきみだけのもの。
きみたちの真実も、きみたちだけのもの。

誰かの決めた価値は、その人だけの価値でしかないし、
機械で計れないことだってたくさんある。

「限界」があるからこそ、人は頑張れるのかもしれないね。
今度はふたりの家に遊びにこさせて。

テイラー

テイラーはボイスチェンジャーを外すと、赤い屋根の家をあとにしました。

Episode 10

試練を与える者

The One Who Always Challenges

「もしも誰かに尋ねたかったら、アザミのところに行ってみて。いい人ではないけれど、なんでも知っているよ」

セージに言われたまま、テイラーはアザミの家に向かいます。テイラーはそろそろ〝旅の終わり〟が知りたくなってきたのです。

旅の中でテイラーはたくさんの人に出会ってきましたが、いまだにゴールはわからないままでした。

――どうすれば僕は天界に帰れるんだろう――

テイラーは神さまに伝えたいことがたくさんありました。だからこそ、天界へと帰る方法を知りたかったのです。

セージの地図を頼りに足早に向かうと、そこには灰色の冷たそうな屋敷が立っていました。

――なんだか怖そうな場所だな――

テイラーは恐る恐る大きな鉄の扉の前に立ちました。そしてドアノッカーを揺らすと、突然ドアノッカーが口を開きます。

「お約束はされていますか？」

首を振るテイラー。

「それでしたらお通しすることはできません」

――どうしよう――

テイラーは途方に暮れました。これではアザミに会えません。諦められないテイラーが屋敷の裏側に回ると、大きな窓が開いていることに気がつきました。

――ここから入れるじゃないか！――

テイラーは屋敷の中に忍び込みました。恐る恐る部屋に足を踏み入れると、おびただしい数の時計が置かれているのが目に入ります。

するとどこからか、ぶつぶつとつぶやく声が聞こえてきます。

「ああ忙しい、忙しい」

声を頼りに歩いてみると、人影が浮かび上がります。テイラーが人影を追いかけると、すうっと消えていきました。声と影を頼りに歩いても、なかなか声の主に追いつくことができません。

――なんて足が速いんだ！――

テイラーはだんだんとむしゃくしゃしてきます。そして追いかけるのをやめ、向こうがこちらへと向かってくるのを待ちました。

すると、すぐにうしろから声をかけられました。

「きみは午後1時に約束をした業者の人間かい？」

テイラーが振り返るとそこにはシワひとつない立派なスーツを着た人間が立っています。

テイラーはその人間が誰か、すぐにわかりました。

――アザミだ――

いろんなことを考えているせいか、アザミの眉間には深い線ができています。だからテイラーには、ひと目でアザミがわかったのです。

「きみは午後1時に約束をした業者の人間かい？」

もう一度アザミは問いかけます。どうやらなにも答えないテイラーにいら立っているようでした。テイラーがうなずくと、アザミはぶっきらぼうに言い放ちます。

「時間がないんだ！　さっそくあれを修理してくれ！」

アザミはトイレを指さしました。

「試行錯誤を繰り返したが、なにしろ私には時間がなくてね。だから泣く泣くきみにお願いしたというわけだ。それではどうぞよろしく」

口早に指示をすると、アザミは再びなにかをつぶやきながら部屋の奥へと消えていきました。

工具を手渡されたテイラーは、トイレをのぞき込みます。陶器の便器は、テイラーの顔が映るほど美しく磨かれていました。

――直すところなんてないじゃないか――

テイラーはなにをすればいいのかさっぱりわからず、なんとなく目に入った装置を取り外していきます。ネジを回したり締めたり。そんなことを繰り返しているうちに、アザミが戻ってきました。

「進んでいるかい？」

テイラーは「さっぱりダメだよ」と言わんばかりに、首を振ってみせました。

「それだと困るよ。この家にはトイレがひとつしかないのだから！　きみ、しっかり頼むよ」

そう言い残して、アザミはまた姿を消しました。

——僕は聞きたいことがあって来たのに！——

一向にアザミと会話できずまたもや途方に暮れていると、いくつもの時計の針が同時に動いている音が聞こえてきます。

チッ、チッ、チッ・・・・

チッ、チッ、チッ・・・・

——この屋敷はまるで時計の演奏会をしているみたいだ——

しばらくその音に耳を傾けていたテイラーですが、いつの間にか便座の上で眠りこけてしまいました。

「きみ！　きみ！　修理は終わったかい!?」

どれくらい時間が経ったのでしょう。テイラーはアザミの声で目を覚ましました。

テイラーが答えようとノートを取り出すと、アザミは大きな声で言いました。

「僕の膀胱はもう張り裂けそうなんだ！　使わせてもらうよ」

アザミはトイレからテイラーを追い出すと、力いっぱい扉を閉めました。しばらくするとその扉の隙間から水が溢れ出し、アザミの悲鳴が聞こえてきます。

「なんだこれは！　きみ！　とんでもないことをしでかしてくれたね！　今すぐ掃除をしてくれ！」

どうやらテイラーがいじったおかげで、トイレは完全に故障してしまったようでした。テイラーが扉を開けると、そこにはびしょ濡れになったアザミが立っていました。

さぞ慌てたのでしょう。アザミのきっちりとそろえられていた髪は、水に濡れて乱れています。

テイラーはアザミの〝秘密の姿〟を見てしまった気分になりました。なんだかおかしくなってしまい、ケタケタと笑いました。

そんなテイラーの様子に眉をひそめたアザミは、手ぐしで髪をまとめると言いま

した。

「これではきみに支払いはできないな。掃除をして今すぐに出ていってくれ」

テイラーはさらに笑います。だって、テイラーはそもそも修理業者ではないんですから！

アザミはそれでもなにも疑っていない様子です。

「ああ、もう5時じゃないか。僕はとにかく忙しいんだ！　早くしてくれ」

アザミは、テイラーの不可解な様子に戸惑いを見せながらも、部屋の奥へと姿を消しました。

床の掃除を終えると、テイラーはネジを締めたり緩めたりを繰り返しました。元通りに戻ったトイレの水を流すと、溢れることなく、深い穴の中に戻っていきます。

——最初から壊れてなかったんじゃないか！——

部屋に入ると、テイラーはノートをアザミの前に差し出しました。

『掃除もしたし、トイレは直った』

すると、アザミはトイレへと向かい、便器をのぞき込んでから、水を流しました。

「確認した。それではお引き取り願いたい」

しかしテイラーには目的があります。その場から動きません。

「なんだい！　まだきみは私の時間を奪おうとするのか！」

テイラーは再びノートを見せます。

『聞きたいことがあるんだけど』

アザミは眉をひそめて言いました。

「わかったよ！　質問があるなら、きみはまずは名乗りなさい」

『テイラーだよ』

「テイラーくんかい？」

『ううん、テイラーと呼んで』

「わかった、テイラー。僕は忙しいんだ。1分で簡潔に質問してくれ」

テイラーが慌てて紙に書きはじめると、アザミは時計をのぞき込みました。

チッ、チッ、チッ・・・・

『僕の住んでいた場所は天界で、そこに戻る方法を……』

「時間切れだよ、テイラー」

　アザミは話を聞かず、再びどこかへと消えていきます。しかし、テイラーもここで諦めるわけにはいきません。アザミに時間ができるまで、屋敷で待つことにしました。

　見つからないよう、カーテンのうしろから様子をうかがっていると、どうやらアザミにはルールがあることがわかりました。

午後6時　アザミは腰掛け、なにかを熱心に書き進めています。
午後6時10分　立ち上がったアザミは、水差しを取りにキッチンへ行きました。
午後6時20分　再び腰掛け、今度は本を読みはじめます。
午後7時　ボーンという音とともにアザミは立ち上がり、トイレへ向かいます。
午後7時10分　そのままキッチンに向かって食事を作りはじめました。
午後8時　アザミは胸にナプキンをかけ、規則正しい速度で食事をとっていきます。

10分刻みに時計を確認するアザミを見つめながら、テイラーはぐうとなるお腹を押さえました。

――アザミはいつになったら休むんだ！――

午後8時30分　食べ終わると同時にお皿を下げ、食器を洗いました。

午後8時40分　アザミはシャワーを浴びに行きます。

――そういえば、アザミはノートになにを書き込んでいるんだろう――

アザミがいなくなったことを確認してから、テイラーが机をのぞき込むと、そこには次の予定がぎっしりと書き込まれた手帳が残されていました。呆気に取られていると、遠くで物音が聞こえたため、テイラーは急いでカーテンの陰に隠れます。

午後9時　シャワーから上がってきたアザミは、机に向かって予定を書いています。

午後10時　アザミは立ち上がり、寝室へと向かいます。

――話しかけるなら今だ！――

寝室へと向かうアザミのうしろを、テイラーがそっとついていきます。そしてアザミが寝室の扉を開けようとしたとき、服の裾を引っ張りました。

「わ！　なんだいきみは!!　まだいたのか!!」

アザミは驚いた様子で振り向きます。テイラーは先ほど伝えられなかった質問をアザミに見せます。

『僕の住んでいた場所は天界で、そこに戻る方法を教えてほしい』

アザミはノートを興味深そうに眺めたあと、今度はテイラーの頭の先から足の爪先まで、じろじろと見つめてきました。

「なんできみはこんなうそをつけるんだ？」

『うそ？』

テイラーは驚きました。

「私の理論では天界に生物は住んでいない。ではきみは天使かなにかだというのか？」

『きみの知らない世界はすべてうそになるの？』

アザミは憤慨して答えます。

「まさか！　僕に知らないことなんてあるはずがないじゃないか」

『でも僕は天使だよ』

「そんなものは存在しない！　この私が今まで目にしたことがないのだから！」

『目の前にいるさ』

テイラーはマントを脱ぎ、翼を広げて見せました。

するとアザミは少し驚き、うしろにのけぞります。なんだかテイラーは少し、いじわるをしたい気持ちになってきました。

『アザミほどの人に、知らないことやわからないことがあるなんて！』

「そんなはずはない！　なんでも答えられるさ」

テイラーはもう一度質問を見せます。

『僕の住んでいた場所は天界で、そこに戻る方法を教えてほしいんだ』

アザミは少し神妙な顔をして答えます。

「私の理論では天界は存在しないから、きみに帰る方法はない」

テイラーは反論しようとペンを取ります。するとアザミは慌てて続けました。

「強いて言うのであれば、きみが来た道を戻ればいいのでは？」

テイラーはペンを止めました。アザミと喧嘩がしたいわけではなかったのです。

そして自分の気になったことを質問してみます。

『なんでアザミは時間通りに行動しているの？』

「私は自分で決めた時間通りに行動することで私自身を支配して、他者から支配されないようにしているのさ」

アザミは誇らしそうに体をのけぞらせて言いました。

『僕には時間に支配されているように見える』

「ばかな！　そんなはずはない。支配されていたらもっと窮屈なはずさ」

テイラーはまたノートに書き込みます。

『支配されているかどうかは体験してみないとわからないことだよね』

「なにが言いたい？」

『アザミは支配されていたことがあるの？』

テイラーがノートを見せると、アザミはふいをつかれたように固まってしまいました。少し申し訳ない気持ちになったテイラーは伝えました。

『答えたくないなら答えなくていいよ』

するとアザミは口を開きます。

「……あるかもしれないな。私はさまざまなことを体験してきた人間だから」

しかしまた、アザミは黙ってしまいました。

『きみの時間を奪ってごめん。僕は帰るよ』

テイラーが背を向けると、今度は「待ってくれ」とアザミが声をかけました。

「私はもう久しく人と会話をしていないんだ。時間を奪った対価として、話し相手になってくれ」

――時間を奪った対価？　僕は答えも聞けていないのに！――

テイラーは目をぐるりと回します。しかし、先ほどとは少し違ったアザミの様子が気になりました。

『じゃあ今晩はもう遅いから泊めてくれる？』

「わかった」

『朝はごはんを用意してくれる？』

「検討しよう」

テイラーがおとなしくベッドに腰掛けると、アザミは満足そうに話しはじめます。

「僕はこの世の中のことは大抵答えられる。だからなんでも質問をしてほしい」

――またそれか――

テイラーは呆れます。

『僕が知りたいのは、天界に戻る方法……』

「それ以外だ」

テイラーは諦めて別のことを聞きました。

『アザミはどうして毎日忙しいの？』

「それは私が必要な人間だからさ」

『どうして必要なの？』

「私は頭がよくて、なんでも知っているからね」

『頭がよくなくて、なにも知らなかったら必要じゃないの？』

　アザミは少し黙ってから言いました。

「少なくとも私はそうやって教えられてきた」

『それってなんだか大変だよね』

「私にとってはたやすいことだったさ」

　テイラーはだんだんとアザミが小さな少年に見えてきました。

「私は物知りだから、街中の人たちが私に質問をしにくるんだ」

『アザミは誰に質問するの？』

「私は誰にも質問をしない。自分で考えるのさ」

　テイラーは疑問をぶつけます。

『寂しいって感じたことはある？』

「ないね。寂しさとは愚か者が感じるものだ」

アザミがそう言うと、テイラーはノートに書きました。

『それは違うんじゃない？　寂しさを認められないほうがよっぽど愚かだよ』

するとアザミは不服そうに、テイラーを一瞥しました。

「どうやら私たちの見解は、はっきりと違うようだね。議論しようじゃないか」

テイラーはこれまで出会ってきた人たちを思い出しながら書き込みました。

『寂しさを認められないと、人はうそをついたり、物を壊したり、暴言を吐いたり、時には自分で死のうとする。孤独をコントロールしようとして、どんどん孤独にコントロールされるんだ』

「そもそも愚かだから寂しさを感じるのでは？」

『違う。寂しさ自体は愚かなことではない。時間が進んでいる限り、人は寂しさを感じるんだ』

「どういうことだい？」

『時間というのは誰にも止められない。失った時は戻ってこない。生きるというのは、なにかを失う連続なんだよ。だから失って寂しくないこともあると思うけど、寂しさだってあるのは当たり前なんだ』

「得ることだってあるだろう」

『得るということは失うということ。失うというのは得るということ』

アザミは言います。

「やはり腑に落ちないね」

『アザミが時間を支配するのは、失った時間があるからだろう』

「失った時間に思いを馳せたくないから、私は時間を支配している」

テイラーは書き込みます。

『失った時間に思いを馳せたくなのは、失った時間に思いを馳せたことがあるからだね』

「それはそうさ」

『僕には、アザミが寂しさを知っているように思えるよ』

するとアザミは少し考えて言いました。

「私は寂しさを感じたくないんだよ」

アザミはテイラーを真っ直ぐ見て言います。テイラーもその視線を外しません。

『アザミは寂しさを知っているね』

「でも私は愚かじゃない」

『アザミは愚かじゃないさ』

アザミはフッと笑うと、テイラーに言います。

「もう寝よう」

テイラーはうなずきました。これ以上、ふたりに話すことはありませんでした。

そしてこれ以上、理解し合えることもなかったのです。

しかしそれは決して、居心地の悪いものではありませんでした。

アザミはろうそくを吹き消しました。あたりが真っ暗になり、テイラーもそのまま眠りにつきました。

午前6時　何十個もの目覚まし時計が一斉に鳴り響き、テイラーは驚いて目を覚ましました。

アザミは、まるで順番が決まっているように目覚まし時計を止めています。昨日と同じスーツに着替え、キッチンに向かいます。

午前7時　アザミは昨晩と同じく、サラダとシチューとパンをトレーにのせ、朝食を取ろうとしています。テイラーがそれを見つめていると、同じプレートをテイラーの前に差し出しました。

午前7時30分　アザミは朝食を終え、食器を洗い出します。テイラーはまだパンをかじっています。

午前8時　アザミは机に座り、予定を書き出しています。テイラーはシチューを飲み干しました。

午前8時20分　アザミはトイレに向かいます。テイラーは食器を洗っています。

午前8時30分　アザミは再び机に向かい、予定を書き出しています。テイラーもなにかを書いています。

午前9時　アザミは別の部屋で片付けをしています。テイラーはまだなにかを書いています。

午前10時　アザミが戻ってきました。テイラーは立ち上がって、アザミにノートを見せます。

『きみの言う通り、来た道を戻ってみる』

「それが一番さ。万が一、展開があるとすれば、また教えてくれ」

そしてアザミは続けます。

「そうだ。きみが道に迷わないように、方位磁石をあげよう」

そう言って、テイラーに方位磁石を渡します。テイラーはにっこりと笑って書き込みました。

『ありがとう。じゃあ僕は行くね』

そう言って、テイラーはアザミの家を出ました。

✵

午後1時　アザミはドアノッカーからの知らせを受け取ります。

「アザミさま、トイレの修理業者が到着したようです」

アザミは怪訝そうな顔をして言いました。

「どういうことだ、通してくれ」

するとそこには工具を持った人間が立っていました。

「すみません、一日お約束を間違えていまして」

驚くアザミに、修理業者は続けます。

「玄関先に落ちていましたよ」

修理業者は一通の手紙を手渡しました。

アザミ

きみがたとえなにも知らなかったとしても、
きみはこの世界に必要な存在だよ。

きみが愚かでも、愚かでなかったとしても、
きみ自身の価値はきみが決めていいと思うんだ。

もしもきみに対して
「そんな人間じゃ価値がない」と言った人がいたのであれば
僕はそいつに憤りを覚える。

きみの寂しさは、確かにきみが支配できる。
でもそればかりを考えていたら、
寂しさに支配されてしまうんだ。

僕はきみの「なんでも知っている」ところではなくて
トイレでびしょ濡れになっている姿のほうが好きだ。
時間が守れなくて、怒っている顔のほうがきみらしいと思う。
規則正しいルールを外れたその偶然に、
きみらしさが詰まっているのだと思ってしまう。

きみの家の時計のひとつだけ、針を進めておいた。
きみが時間に支配されないように。
戻してもいいし、戻さなくてもいい。

知りすぎている世界よりも、
知らない世界のほうが
希望が広がっているはずだと僕は思うんだ。

だからもし、僕が天界にたどり着くことができたら、
その場所からきみに手紙を書くよ。

テイラー

追伸　僕は今、こう思ってる。アザミと会えなくなったら寂しい。

Episode 11

許されない者

The One Who Can’t Forgive

アザミの家を出たテイラーは、モヤモヤした気持ちを抱えながら、ガラクタ置き場に向かっていました。テイラーにとっては、なんの解決にもならなかったからです。

しかし考えてみれば、アザミの言うことだって一理あるような気がしてきました。

「強いて言うのであれば、きみが来た道を戻ればいいのでは？」

アザミの声がテイラーの頭の中でこだまします。

――ネモフィラと出会ったときにあの場所に行ってもなにも起こらなかった。でも、今なら違うかもしれない――

少しの期待がテイラーの頭をよぎります。その時、「テイラー！」と呼ぶ声がうしろから聞こえてきました。

声をかけられて振り向くと、そこにはセージが立っています。テイラーが手を振るとセージは近づいてきました。

「どこに行こうとしているの？」

『僕の旅がはじまった場所にいこうと思って』

「はじまった場所？」

『まずは東にあるガラクタ置き場さ』

「答えが見つかるといいね」

セージは心からそう思ってくれているようでした。しかし、テイラーはうつむきます。

「私がなにか力になれたらいいのだけど」

『ありがとう』

テイラーが伝えると、セージは言いました。

「あのあとサルビアとたくさん話せたの。テイラーのおかげ。本当にありがとう」

そして、さらにセージはなにかを言いづらそうにして、うつむきます。

「もしもあなたが東に行くなら、ひとつお願いしてもいいかな？」

『ああ、どうしたの？』

「実はお父さまの容態(ようたい)があまりよくないという噂(うわさ)を耳にしたの。こんなことを頼(たの)んでしまって申し訳ないんだけど、様子を見てきてほしい。もしもあなたが東に行く用事があるなら……」

『いいけれど……きみが行かなくていいの？』

「ひどい別れ方をしてしまったから、私は行けなくて。様子だけ、外からでいいから見てくれたら……」

テイラーは快くうなずきました。

『いいよ』

「ありがとう！　本当に助かるわ！」

セージはホッとした顔で笑いました。

「そういえばあなたのためにボイスチェンジャーを改良してみたの。いつかどこかで会えたらって思って持ち歩いていたのよ」

セージは大きなカバンから、首輪のようなものを取り出しました。

「この前貸したものは、少し大がかりだったのよ。これはずいぶん軽くなったと思う。つけてみてくれる？」

テイラーは首にそれを装着すると、喉を震わせます。

「えええええええおおおおおおお……すごいや！」

「よかった！　必要なときに使ってみて」

セージは続けます。

「筆談のほうがテイラーのあたたかさが伝わると思うけど、たまにはね」

「ありがとう」

「お父さまの名前はシオン。もし元気そうだったら、私には教えなくてもいいわ。でももしなにかありそうだったら教えてくれる？」

「もしなにかあったら、セージはどうするの？」

「わからない……罪悪感を抱きたくないだけかも」

セージはうつむきます。テイラーは言いました。

「とにかく様子を見てくるよ。場所を教えてくれる？」

「ありがとう」

そうしてテイラーはセージと別れ、言われた場所へと向かいました。

シオンの家はガラクタ置き場のすぐそばにありました。セージに教えられた住所へと行ってみると、そこには見たことのないくらいぼろぼろの家が立っています。

――今にも崩れそうだ――

そっと中をのぞいてみますが、部屋の中が暗すぎてまったく様子が見えません。窓は汚れて曇っていて、かろうじて人が横たわっているのだけがわかります。

――これじゃあ様子はわからないじゃないか――

テイラーがのぞき込むために体重をかけると、バキッという音とともに木の板が外れました。すると中からしゃがれた声が聞こえました。

「誰かいるのか！」

仕方なくテイラーはドアのほうにまわり、ノックをしました。すると中から尋ねてきます。

「ネリネか、ネリネなのか？」

どうやら人違いをしているみたいです。

「違います」

「誰だ」

「テイラーです、部屋に入ってもいいですか？」

すると落胆した声が返ってきました。

「ああ。こんな老ぼれが相手だ。もう好きにしてくれ」

テイラーが部屋に入ると、ベッドにはひとりの老人が横たわっていて、力なく天井を見上げていました。部屋の中は、しばらく空気が入れ替えられていないような、こもった匂いがしています。

テイラーは思わず聞きました。

「窓開けてもいい？」

その老人は小さな声で答えます。

「ああ」

テイラーが窓を開けようとすると、サッシが外れました。慌ててテイラーが直そ

うとすると、老人が口を開きます。

「そのままでいい。私はもう死ぬからな」

テイラーが黙っていると、老人は続けます。

「もうすぐネリネに会える……」

——ネリネ？　さっき名前を呼んでいた人か——

「あなたがシオン？」

「ああ、そうだ」

シオンの近くに寄ってみると、彼は固く目を閉じたままでした。テイラーは尋ねました。

「ネリネって？」

「私の人生のパートナーさ」

テイラーは肝心なことを聞けていなかったことに気がつきます。

「あなたはいつ死ぬんですか？」

「さあな。でももう体がゆっくりと朽ちていっているのがわかる」

シオンは目を開きます。シオンの瞳は乳白色に濁っていました。

「きみの姿を見せてくれ」

そういってシオンがテイラーに手を伸ばします。骨張った手が体に触れ、テイラーは思わず身を硬くしました。

「すまんな、私はもう目が見えないから」

そう言いながら、シオンの手はテイラーの輪郭を捉えていきます。そのままテイラーの翼を撫で、シオンは言いました。

「きみは私の死神か？」

「僕は死神じゃなくて天使だよ」

「まあそう変わらんな」

今度は、手がテイラーの首に触れます。そして首につけられた機械をなぞると、シオンは言いました。

「セージか」

テイラーは思いがけないシオンの言葉に驚きました。

——なんでわかったんだろう——

するとテイラーの思いを察したかのようにシオンは続けました。

「セージの機械は少し独特なんだよ。ああ、あの子がこれを作っている姿が目に浮かぶ」

シオンは目を閉じて、優しい表情で言いました。

「体が朽ちていく時間というのは、今までの人生のどの時間よりも長く感じる。その間にいろんなことを考えたよ。ネリネに会えるうれしさとともに、この世に思い残したことを何度も考えたさ」

テイラーは尋ねます。

「思い残したことがあるの？」

「あるといえばある、ないといえばない」

「僕に手伝えることはある？」

するとシオンはこちらに顔を向けて言いました。

「では老人の戯言だと思って聞いてくれるかい」

テイラーはシオンの手をぎゅっと握ります。するとシオンは続けました。

「私はこれまでの人生の中で、たくさんの人たちを許せないでいた。きっと私が許さなかった人たちは、今も私を許してはいないだろう。しかしそのうちの三人だけ、言えなかった言葉を伝えたい人たちがいる」

「その人たちに言葉を伝えたいの?」

「ああ。私の身勝手な願いだということはわかっているが……」

シオンのお願いを聞きながら、テイラーは既視感を覚えます。

──セージとシオンは言葉が似ている!──

テイラーは思いました。

「手紙を書いてみたら?」

「しかし私はもう腕が思うように動かず、目も見えない。どうかきみに代筆をお願いできないか?」

「いいよ」

テイラーがそう答えると、シオンは安心したようにこちらに体を向けます。テイラーはシオンの横に腰掛け、便箋を広げました。

「ひとり目は私の友人だ。ネリネがいなくなったあと、慰めてくれた彼に私はひどい言葉をかけてしまった」

「名前は？」

「カズラ」

テイラーは顔を上げます。

「知ってるよ」

「なんと、奇遇なことがあるんだな」

「カズラになにをしたの？」

「私はあのときあまりに気が立っていて、カズラの優しさを受け入れられなかった。彼の絵について、私はひどい言葉を浴びせてしまった」

テイラーは、何度も何度も死のうとしていたカズラの姿を思い出し、心の底から怒りが湧いてくるのを感じました。

「あなたのせいかはわからないけれど、カズラは死のうとしていた」

「本当に申し訳ないことをしたと思っている」

「たとえ咄嗟に言った言葉だとしても、その言葉は相手の体に残留し続けるんだ。あなたに許しを乞う資格はない」

テイラーは憤って言いました。するとシオンは力なく答えます。

「許されなくてもいい、手紙を渡さなくてもいい。私の自己満足として、手紙を書いてくれないか」

――渡さないなら意味がないじゃないか！――

身勝手なシオンの言葉にテイラーは納得できませんでした。テイラーは不満を感じながらも、ペンを持ちます。

カズラ

きみは私の孤独に精いっぱい寄り添おうとしてくれた。

しかし私はそれを受け入れることはできなかった。

今こうして、きみに手紙を書くことが
果たして正しいことなのかはわからない。
私のことを今もきみが許さないままでいるのであれば、
許そうとしなくていい。
そしてこの言葉を私が伝えてしまう傲慢さも
私は理解しようとしている。

死が訪れるとわかったとき、私がきみにかけた言葉が
何度も何度も頭の中をめぐっていた。

　シオンは途中で言葉を止めます。
「いや、違う」
　なにかを考え込みながら、口をつぐんでしまいました。そして考え込んだ末、こう言いました。

「テイラー、差出人不明として出すのは卑怯なことだろうか」

「そっちのほうがいいかも」

「申し訳ないが、もう一度書き直してくれないかい？」

再びテイラーはペンを握りました。

カズラ

きみはこれまでさまざまな不当な評価や扱いを受けてきたと思う。
私はきみをそう扱ってしまった者のひとりだ。
きみを軽んじたはずではなかったのに、
私の心の弱さからきみを深く傷つけてしまった。
きみの絵を美しいと思っている。
きみの表現はきみの人生そのものだ。

きみがくれた絵を、私は死が訪れるその瞬間まで
見つめていたいと思う。

どうかこれからも
私のような人間がきみに近寄らずに、
きみを尊重してくれる誰かと
きみが安心できる場所で暮らしてほしい。
私なんぞにきみの人生について祈る権利はないかもしれない。

きみと私が再会しないことは、私にとっての大きな罰だ。
だからそれを受け止めているつもりだ。
ただ神が許すのであれば、
どうかこの手紙を書くことだけは許してほしい。

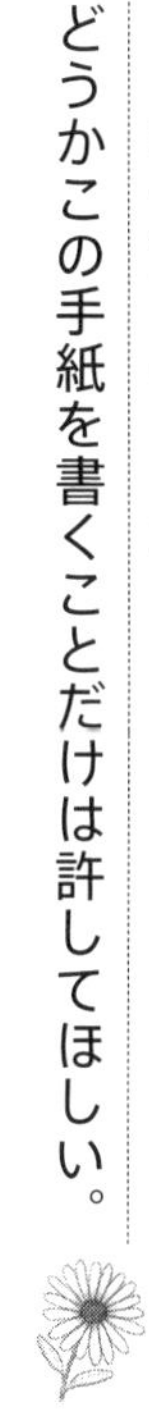

シオンは静かにため息をつきました。テイラーは胸が苦しくて仕方ありません。

——こんな残酷なことがあるだろうか！——

やり場のない虚しさに、テイラーはシオンの家を訪ねたことすら後悔をしはじめていました。しかし考えても仕方ありません。シオンには時間がないのですから。

そしてテイラーは尋ねます。

「次は誰？」

「次はセージに宛てたい」

「セージにはなにをしたの？」

「セージは小さいころから機械を作るのが好きでね。私はそれを応援できなかった。セージの幸せはもっと別の部分にあると思い込み、それを押しつけてしまった。セージがサルビアと住むということにすら、私は納得できなかった。でもそもそも私には、彼女の生き方を認めるかどうかを考える権利すらなかったんだよ」

シオンの言葉にテイラーはうなずきます。

「そうだね」

「小さかったセージはもう戻ってこない。できることなら人生をもう一度やり直して、セージの人生を初めから応援したいと思うよ。セージが選ぶ人生を心から肯定して、彼女が傷ついたときには帰ってこられる場所でありたかった。しかしそれはもう叶わない。仮に来世があるなら、セージにはもう私のような親に育てられてほしくない」

「じゃあどうして手紙を書くの？」

テイラーが尋ねると、シオンは答えました。

「愛しているから」

「それはシオンのエゴだよ」

「そうだね、エゴだ。でも愛はエゴをも包括しているのかもしれない。この手紙も渡さなくてもいい。でもせめて、私の愛するセージに手紙を書かせてくれ……」

「わかった」

セージ

私の愛するセージ。

このような手紙を書いてしまうことを許してくれ。

私はもう死が近い。

死の時間を待っているあいだ、
片時もきみを忘れたことはなかった。

私にとっては、きみはいつまでも「幼いセージ」のままだった。

きみの選択を「子どもだから」と鵜呑みにできなかったのは、
きみの幼さではなく、私の未熟さだった。

こんなことを私には言われたくないかもしれないが

すべての人間は、生まれるときに家族を選ぶことはできない。

しかしきみの人生や、そのあとの人生でともに過ごす「家族」は
きみが選ぶことができるんだ。

そしてそれをきみは実践（じっせん）しているね。

きみがたとえ「救うため」になにかを作っていなかったとしても
きみの発明（はつめい）はきっと、多くの人を救（すく）うだろう。

でもそれはきみが自ら人生を手に入れてきたからこそなのかもしれない。

ああ、だめだ。私はまたきみに「役割（やくわり）」を押しつけようとしている。

きみが何者かにならなかったとしても、私は心から愛している。

きみがなんの鎧（よろい）も持たないままこの世に生まれてきたとき、
私は「きみを守る」と心に決めた。

しかしその「守る」という行為は、いつしかきみを繋ぐ足枷となり
きみを深く傷つけ、そして縛ってきてしまった。
きみを愛していることはずっと変わらなかったはずなのに、
それをエゴという形でしか伝えられなかった。本当に申し訳ない。
きみのことを心の底から愛している。
どうかきみが選んだ人と、そしてきみが選んだ人生に
誇りを持って生きてほしい。

シオンは口を閉じると、そのままなにも言いませんでした。それはあまりにも長い沈黙でした。

テイラーがペンを止めてシオンを見ると、シオンの閉じられたまぶたから大粒の涙が流れ落ちるのが目に入りました。

「シオン？」

「すまない。どうしようもなく悲しくなってきてしまった」

テイラーは頭に浮かんだ疑問を口にしました。

「どうして人間は、伝えられるタイミングで思いを伝えられないんだろう」

シオンは答えます。

「私たちは言葉を持ってしまったがゆえに、思いを伝えなくても、伝わっていると思い込んでしまうのさ」

「……どうして神さまは言葉を持たせたんだろう？」

シオンは答えます。

「私にもわからない。道具だけ持たされて、使い方は教わらない。だからせめて次の人生では、この記憶が残っていればいいのに」

テイラーはシオンに賛同しました。

――僕も最初から、誰かのための言葉を使えたらよかったのに――

テイラーはペンを持ち直し、シオンに言いました。

「最後の手紙は誰？」

「最後はネリネだ」

「ネリネはシオンのパートナー？」

「ああ」

シオンは優しげな顔で答えました。

「もういないんじゃないの？」

「そうさ。でも私がネリネのもとに行くからね」

そしてシオンは、伝えたい言葉を話しはじめました。

ネリネ

きみが私に対して心配していたことを、
私はこの人生の中で何度もやってしまった。

私たちの大切なセージは、私にとってのきみのような存在を見つけ今はきっと幸せに暮らしていると思う。
「セージを守る」という、きみとの唯一の約束を
私は破ってしまった。本当にすまない。
いくらでも罵倒してくれ。

もしもきみが私とまた一緒にいたいと望んでくれるのであれば
きみが私に深い愛情を与えてくれたように、
きみが私を支えてくれたように、
私は次の人生でもまたきみに出会って
今度は私に同じことをさせてほしいと思う。

私が人々を許せなかったのは、
私が自分を許せなかったからだ。
その愚かさを、多くの人たちに負担させてしまった。

私が最後まで愚かであり続けることを
きみは怒るだろうか。

私にとっての後悔は「より良い人間」になるための努力を怠ったことだ。
怒られることをわかっていて告白したのは、
きみの前ではいつでも正直でいたいからだ。

きみが大切に育てていた植物は枯れ、
きみの愛した家は廃墟と化している。
きみを看取った場所と、私が死ぬ場所は同じようでまったく違う。

きみが「待っている」と言ってくれたその場所で
再びきみと会えることを祈っている。

「テイラー、ありがとう」

伝え終わると、シオンは小さくつぶやきます。

「老人の戯言に付き合わせてしまって申し訳なかった」

「この手紙は僕が持っていていいの？」

「ああ。燃やしてしまってもかまわない。きみに託させてくれ」

シオンの言葉を受け取ると、テイラーは尋ねました。

「シオンはこの家でひとりで死を待つの？」

「そうなるだろうね」

――この家でひとりで死ぬなんて――

テイラーはシオンが心配になり、提案をしました。

「僕が一緒にいようか？」

シオンは乳白色の瞳をテイラーに向け、静かに言いました。

「私がこの家でひとりで死を迎えるのは、私の人生そのものだ。この家とともに、
私の体を朽ちさせてほしい」

「わかった」

「きみには迷惑をかけたね。暗くなる前に帰りなさい」

シオンは、再び目を閉じます。テイラーはうしろ髪を引かれる思いで、シオンの家をあとにしました。

✲

テイラーが外に出ると、しとしとと雨が降ってきました。テイラーは手紙が濡れないように、ポケットにしまいます。

――この手紙がたとえシオンのエゴだとしても、これがシオンの大切な思いであることには変わりない――

手紙を渡すかどうかは一旦忘れることにして、テイラーはそのままガラクタ置き場へと向かいました。

ガラクタ置き場に着くと、テイラーは寝床にできそうな場所を探しました。テイラーにとってその夜は、初めてひとりで過ごす夜です。少しだけ寂しさを抱えながら、テイラーは寝床を探します。

暗闇に覆い隠されてしまう前に、テイラーはちょうどいいサイズの箱の中に潜り込みました。

——もし僕が天界に戻ったら、もうみんなには会えなくなってしまうのかな——

テイラーはぼんやりとガラクタを眺めながら、この旅に終わりがあることに悲しみを覚えはじめていることに気がつきました。

旅で出会ってきた人たちの顔がぼんやりと浮かんでは消えていきます。これまで自分以外の存在を避け続けていたテイラーにとって、この旅は考え方が変わるほど刺激的なものでした。

——僕は彼らのように、生きるということに向き合ってこられたのだろうか。いつか自分の体が朽ち果てるときに、僕はシオンのように泣けるんだろうか——

考えれば考えるほど、テイラーの心はずしんと重くなります。疲れていたのでしょう、まぶたも一緒に重くなってきました。そのままテイラーは深い深い眠りにつきました。

✲

陽の光で目が覚めたテイラーは寝床から這い出ると、ガラクタ置き場を一周しました。朝露で地面は照り、ガラクタたちもキラキラと輝きます。すると一角に、意図的に布がかけられている箇所が目に入りました。

――ユウガオの作品かな――

そう思い布をめくると、そこにはテイラーが見たことのない絵が大切に置かれています。テイラーには、ひと目でそれがカズラが描いたものだとわかりました。しばらく絵を眺めていると、うしろから足音がしてきます。

「テイラー」

するとそこにはカズラが立っていました。テイラーは振り返るのと同時に、カズラに尋ねました。

「きみの絵かい？」

声を出すテイラーにカズラは少し驚いています。

「そうだよ。きみの声を初めて聞いたよ」

テイラーはカズラが前よりも明るい表情をしていることに気がつき、うれしい気持ちになりながら言いました。

「やっぱり僕はきみの絵が好きだ」

「テイラーに見せたくてさ。ここに置いていたんだ」

するとカズラは、一枚の絵をテイラーに渡して言いました。

「これをきみにあげるよ」

テイラーが驚いていると、カズラは続けます。

「きみを思いながら描いたんだ」

「これは僕？」

「そうだよ。これは僕から見たきみだ」

そこには、そよ風の中で楽しそうに笑うテイラーが描かれていました。

「……すごくうれしい！」

「きみとユウガオのおかげで、僕はまた筆を持てるようになったんだよ」

テイラーはシオンの顔がよぎり、言葉を失ってしまいました。するとカズラは続けます。

「今度は僕のアトリエに来ておくれよ。ユウガオがすてきなアトリエを建ててくれたんだ」

テイラーはポケットの中の手紙をぎゅっと握り、言いました。

「うん、楽しみにしてる」

――やっぱりこの手紙は渡せない――

テイラーは心に決め、手をポケットから出しました。

「カズラ、絵をありがとう。僕はもう行くよ。行かなければならない場所があって」

テイラーがそう言うと、カズラは優しい表情で言いました。

「そうなんだね。また会おう。僕はまたここにいるから」

「この絵は宝物だよ」

——これが僕のエゴだとしても、シオンの手紙はカズラには渡さない——

そう思ったテイラーはガラクタ置き場から離れ、セージの家へと向かいました。

✵

セージの家に着いたテイラーがドアをノックすると、中からセージが出てきました。

「お父さまは……」

そう言いかけて、セージは口を閉じました。聞くのが怖い、でも気になる……そんな複雑（ふくざつ）な表情をテイラーは感じ取ります。

しかしテイラーははっきりと伝えました。きっとそれがセージの望みだろうと思ったからです。

「シオンの死は近い。手紙を受け取ってきた。でも渡さなくてもいいと言われた。きみはどうしたい？」

するとセージは少しだけ考え込んだあと、テイラーを真っ直ぐに見つめて言いました。

「読ませて」

手紙を受け取ると、セージはその場で手紙を開きました。ページをめくるたびに、セージは眉をひそめたり、時には目を潤ませたりしました。そして最後まで読み終えたセージは、言いました。

「私に許されると思ってこの手紙を書いたのなら、なんて傲慢な人なのかしら」

テイラーは言います。

「シオンも言っていたよ」

セージは悲しそうな顔をしながら言いました。

「テイラー、許すというのはね、一度のことじゃないの。ずっと許し続けなければならないのよ。お父さまの顔が浮かぶたびに、私の心は怒りで満ちて、そのたびに〝許すか〟〝許さないか〟を選択し続けなければならないの」

テイラーはセージにハグをしたい気持ちを抑えて言いました。

「許す必要はないさ。でも僕をシオンのもとに行かせた決断の中にも、きみの気持ちがあるのは確かだよ。許さなくていい。でも後悔はしないで」

セージはうつむき、自分の手をぎゅっと握ります。そして顔を上げて言いました。

「テイラーありがとう」

すると部屋の奥からサルビアが顔を出しました。

「セージがシオンに会いに行くのであれば私も一緒に行くし、会いたくないのであれば、私はその意思を尊重するよ」

セージはサルビアの言葉を聞き、迷いが生まれたようでした。テイラーとサルビア、ふたりの顔を交互に見ながら言います。

「少し考えさせてほしい」

テイラーはすかさず伝えました。

「シオンには時間は残されていない。でもきみには時間はある。許すかどうかではなく、後悔をするかどうかを考えてみたら？」

セージのそばに寄り添って、サルビアは言いました。

「そうだね、テイラーの言う通りだと思う。セージ、あたたかいお茶を淹れたから飲もう。よかったらテイラーもどうかな」

「ありがとう、いただくよ」

テイラーが椅子に腰掛けると、セージは口を開いた。

「お父さまはほかにも手紙を託したの？」

「そうだよ」

「ほかには誰に？」

「古い友人とネリネに。でも友人には渡さなかった」

「どうして？」

「シオンは渡すことを目的にしているようには思えなかったんだ」

セージは不思議そうに尋ねます。

「どうして私に渡したの？」

「きみが僕をシオンに出会わせたからだよ」

テイラーが答えると、セージは黙ってうつむきました。サルビアはセージの手を優しく握ります。

「お父さまはまだ、ひとりであの家に住んでいるの？」

「ひどいありさまだったよ！」

セージはため息をつきました。

「私ね、掃除ロボットを開発したのよ。それをあの家に試しに行っていいかしら」

「いいんじゃないかな」

「許したわけじゃないの。これからも許せないかもしれない。でもあの家は私が育った家だから、最後にお父さまが反対した機械を使って、うんときれいにしてやるの」

セージは小鼻を膨らませながら言いました。その様子を見て、テイラーは伝えます。

「シオンはね、ボイスチェンジャーに触れてすぐに、きみが作ったものだとわかったよ」

「どうして？」

「セージの作る機械だからじゃないかな」

するとセージの目から大粒の涙がこぼれ落ちました。

「この手紙で伝えられたことを、幼い私が受け取っていたら……」

するとサルビアはセージの手を握りながら言いました。

「そしたら、私はセージに出会えなかったかもしれない」

サルビアは続けます。

「私はね、シオンに感謝してるんだ。そうじゃなきゃ私はセージに出会えなかったからね。何度でも言うよ、許さなくていい。でも気になるのであれば掃除をしに行こう」

セージはサルビアの言葉を聞いて、なにかを決心したようでした。

——セージには理由が必要だったのかも——

そうしてセージとサルビアとテイラーは、シオンの家に向かいました。

✲

シオンの家が見えると、セージは小さく息を吸いこみました。

「なんてひどいありさまなの!!」

扉を開けると埃(ほこり)が舞っています。空気の中には細かい塵(ちり)が踊(おど)り、ツンとした匂いが鼻を刺(さ)します。

物音を聞いて、シオンは言いました。

「セージか、セージなのか?」

シオンの声を聞いてセージは黙(だま)りました。サルビアがセージの肩をさすります。

するとセージは少しだけ力を込めて言いました。

「恨(うら)み節(ぶし)を伝えにきたの」

「そうか、恨み節か、いつまでも聞いていられたらな」

天井を見上げたまま、シオンは微笑(ほほえ)みます。

「テイラーとサルビアも一緒にね」

セージがそう言うと、シオンは手を伸ばしました。

「サルビア、サルビアかい、そばに来ておくれ」

そして言葉を続けます。

「サルビア、私がこんなことを言うのもおかしいが、本当にありがとう。今まで伝えられなくて申し訳なく思うよ」

サルビアはシオンの手を握って返しました。

「お父さんって呼んでもいいですか？」

「もちろんさ」

テイラーがセージを見ると、セージの目には涙が溜まっている。サルビアは続けます。

「お父さん、セージはすごいんです。私にできないことをたくさんやってのけてしまうんです」

「私の知らないセージの話を、聞かせてくれるのかい」

　そうするとサルビアはシオンの横に腰掛け、これまでのセージの発明やふたりの生活について話しだしました。

　セージは戸惑（とまど）ったまま、ふたりを遠くで眺（なが）めています。テイラーはそっと、セージの背中を押しました。

　セージはうなずき、サルビアの横に腰掛けます。テイラーはタオルを濡（ぬ）らし、シオンの体を拭（ふ）きました。

　夜が近づくとシオンは言いました。

「暗くなる前に帰りなさい」

「でも……」

「これがきっと最後になる。きみたちが来てくれてうれしかったよ。私が今までセージにしてしまったことを、私は許してほしいとは思ってはいない。こうして知らなかったセージの話が聞けて、私は本当にきみたちに感謝している。ネリネへの手土産（てみやげ）ができた」

シオンは続けます。

「でも私はひとりで旅立とうと思うよ。悔いが強いほうが、次の人生で同じ過ちを繰り返さなくていいからね」

セージはなにかを納得したようでした。黙ってサルビアの手を引きます。

「次の人生でも、お父さまと過ごしたい。だからそのために、お父さまの決断を応援する」

そしてセージはテイラーに尋ねました。

「テイラーはどうする？」

「僕はシオンが息を引き取るまで、扉の前にいるよ。魂が迷ってしまうかもしれないから」

そう伝えるとシオンは笑います。

「そうしたら、最後にテイラーに道案内をしてもらおう」

✲

Episode 11　許されない者

セージとサルビアが去ったあと、テイラーはシオンの家の扉の前に腰掛けました。

しばらくすると窓から光が漏れはじめます。

「シオン、行こうか」

ふわふわとした光の玉が扉をすり抜けます。そのままテイラーは光の向かう方へついていきました。

まるで道標があるかのように、光は浮遊しながらたたり山へと向かっていきます。

「僕が案内されているようだね」

山の中腹のあたりまでたどり着くと、テイラーにとって見覚えのある光景が現れてきました。

「シオン、ちょっと待ってくれるかい」

そう言ってテイラーは、洞窟の前で立ち止まりました。

「手紙を渡したい人がいるんだ」

そしてテイラーは座り込み、石の上で便箋を広げ、文字を書き綴りました。

ネモフィラ

ようやくここにかえってくることができた。
いまだからわかる。ぼくはきみにすくわれたところがたくさんある。
なのにまだぼくはきみになにもかえせていない。
かんしゃのおもいもつたえられていない。

あのときのぼくをあたたかくむかえてくれてありがとう。
いばしょをよういしてくれて、ごはんをたべさせてくれて
ぼくがなにをしてもきみはみまもってくれていた。
きみがくれたノートとペンのおかげで、
ぼくはいろんなひとにきもちをつたえることができた。

そしてなによりも

きみからうけとったやさしさがなければ、
ぼくはこのたびでだれかにしんせつにすることはできなかったとおもう。

きっときみはぼくから「かえしてもらう」ことなんて
みじんもおもっていないのかもしれないけれど、
ぼくはきみになにかあったらいちばんにかけつけられるともだちでいたい。

これからいきていくなかで、つらいこともくるしいこともあるだろう。
でもそのたびにきみがぼくにしてくれたしんせつが、
ぼくのこころのなかにのこりつづけてすくってくれるんだとおもう。

だれかをにくみたいきもちになったときには、
きみのスープをおもいだすし
このせかいからいなくなりたいときは

きみがあんでくれたマントにつつまれてねむるよ。
ほんとうにありがとう。
またすぐにここにくる。きみにあいさつするためにね。

きみのともだち、テイラー

手紙を書き終えると、洞窟の前にそっと置きます。テイラーはすっきりとした気持ちでした。

光はくるくるとテイラーの近くを回り、再び頂上を目指して木々の間をすり抜けていきます。

「シオン、ありがとう」

木々の中を導かれながら歩いていくと、最初にテイラーが目を覚ました山の頂に到着しました。すると光は最後に強く瞬き、テイラーを包み込みます。

次にテイラーが目を開けると、そこは天界でした。

Episode 12

帰還

The Return Journey

――なんてまぶしいんだろう――

目を開けたテイラーは、あまりのまぶしさに思わず顔をしかめました。目を開けると、そこは神殿の入り口でした。テイラーは長い夢でも見ていたかのような気持ちになって、慌ててポケットをあさりました。すると、旅の途中でテイラーがもらったものたちが出てきました。テイラーはホッとしました。

ネモフィラが編んだマントのポケットの中には、同じくネモフィラがくれたノートが入っています。もっと探ってみると、クローバーが手当てをしてくれた布、ユウガオがくれた、テイラーの瞳と同じ色の石、プロテアがくれた絵本のページ、サザンカがくれたネコヤナギの枝、カズラが描いたテイラー自身の絵。テンの剥がれたお面……。

セージのボイスチェンジャーは首についたままで、アザミの方位磁石はくるくると回っています。シオンから預かった手紙の文字は少しだけ滲んでいます。

気がつくとマントのポケットはパンパンになっていました。ポケットから取り出してそれらを並べていると、頭の中にさまざまな出来事がよみがえってきました。

Episode 12　帰還

✲

テイラーの翼は生まれつき、右が少し小さくなっていて、ほかの天使と同じように飛ぶことはできません。ほかの天使たちは、飛べないテイラーを憐れみました。

「同じ天使なのに、飛べもしないかわいそうなテイラー」

「きみの翼はなんてもったいないことをしているんだろう！」

テイラーはそう言われるたびに、右の翼の羽根を抜きました。

——痛い！——

最初はそう思いました。しかしその痛みは、テイラーの心の痛みを少しだけ和らげてくれるような気がしたのです。

だんだん痛みに慣れてくると、テイラーにとって羽根を抜くことはひとつの作業のようになっていきました。羽根がなくなったテイラーの翼を見て、天使たちは言います。

「テイラー、きみの羽はなんて醜いんだ！」

「きみはまるで悪魔じゃないか」

「神さまもきみを愛せないだろうね」

「お前たちになにがわかる！　わかってたまるか」

羽根を抜いてしまったところに、新しい羽根は生えてきません。

そう伝えたかったけれど、テイラーは唸り声をあげることしかできません。抜く羽根がなくなってしまったテイラーは、どんどん乱暴者になっていきました。時にはいじわるをしてくる天使たちに噛みついたり、ものを投げたりすることもありました。でも噛みつけば顎は痛いし、ものを投げたとしても心は晴れません。

翼が短いのは僕のせいじゃない。飛べないのは僕のせいじゃない。

でも、もしかすると自分にも原因があるような気がして、だけどそれを追求することはできなくて、テイラーはものを壊しました。

考えがぐるぐると渦巻くときには、ものが壊れる音に救われました。音が大きければ大きいほど、音がテイラーの思考を止めてくれるような気がしたのです。

しかし今はどうでしょう。テイラーを罵倒する声は、旅で出会った大切な人々の声でかき消されていきます。

✲

「暴れん坊のお前なんて、天界にいる資格はない！　神さまだってそう言ってたぞ！」

「テイラー、それなら神さまに聞いてみればいいさ。お前が価値のある存在かどうかを」

「お前は天使としては不完全すぎるのさ」

「さあ、飛んでごらん。そうして僕たちに噛みつけばいい」

「テイラー、きみの羽はなんて醜いんだ！」

「きみはまるで悪魔じゃないか」

「神さまもきみを愛せないだろうね」

「やっぱりきみは勇敢だ。きっときみも痛かったはずだから。痛いことには勇気がいるもの」

「エラーの目はおでのウロコとおンなじ色なンだなあ。とってもきれいだ」

「あなたはすごいのよ、とても堂々としていて。私にないものをたくさん持っているわ」

「大丈夫。あなたのおかげで、自分の感覚が麻痺していたことがわかったから」

「きみの翼はあたたかくて優しいな。僕は羽根のない翼のほうが好きだ」

「あなたは呪いを解く魔法使いなのかしら」

「仮に誰かが私たちの存在を否定したとしても、私たちの存在は真実なの」

「きみが道に迷わないように、方位磁石をあげよう」

「私が人々を許せなかったのは、私が自分を許せなかったからだ」

テイラーは彼らの言葉を思い出しながら、あたたかい気持ちで満たされました。

✲

神殿の奥を見てみると、そこにはテイラーが壊したままのものたちが残されていました。テイラーはそれらを丁寧に拾い上げ、棚に戻します。

「神さま、ごめんなさい。僕はあなたから見放されていたのかと思っていました」

そう話しながら、旅でもらった宝物たちを並べていきました。

「僕が旅で出会った人たちは、みんな不完全でした。でも、その不完全さがあるからこそ、彼らは彼らとして輝いていた。そして、僕自身も不完全であるからこそ、感じることができる世界があるんだとわかったんです。

僕はすべてを受け入れられなかったし、ある人は自分を醜いと思い込み、ある人は自信を失っていました。

ある人は自分を縛っていたし、ある人は自分を否定していました。

ある人は自分を偽っていて、また、ある人は言葉を持っていませんでした。

ある人は自分に試練を与え、ある人は自分を許せないでいました。

これらが彼らを示す言葉として適切かはわからないけれど僕は、彼らの中に僕を見つけたんです。

痛みを共有すればするほど、僕自身が癒されていることにも気がつきました」

神殿にはテイラーの声だけがこだまし、どこからも返事は聞こえません。

「神さま、僕はもう自分の声を手に入れました。僕は天使でも悪魔でもない。テイラーです」

テイラーは暗い神殿の奥を見つめながら言いました。

「どうか僕の居場所に、僕を帰してほしい」

すると奥から声が聞こえてきました。

✵

それは真の姿だろうか
望むならそうなっていく

いくらでも望(のぞ)みを叶(かな)えよう

言葉をとり戻したければ
世界を見て回ること
きみの知っている世界が
どんなに小さく限(かぎ)りがあるかを知ること
そうすれば言葉はきみのものになる

きみの言葉はきみだけのもの
きみの居場所はきみが見つけていく
よくぞ帰ってきてくれた
再びここからきみを見送(みおく)ろう

声がなくとも、想(おも)いを受け止め、伝えられることはある

言葉がなくとも、伝わること、伝えられることもある
今まで傷ついたこと、傷つけたこと、それを見つける旅に出るのだ

出会うすべてはきみではないが、きみでもある
その意味がわかるとき、きみの手に光は戻る

✵

声が聞こえなくなったのと同時に、テイラーの目の前は真っ暗になりました。次に目覚めたとき、テイラーは再び、たたり山のてっぺんに倒れていたのです。もうテイラーを導く光はありません。顔を上げると、木々の間から朝日の光が差し込んでいるのが見えました。

「神さま、ありがとう」

テイラーは天に向かってお礼を言うと、自分の来た道を戻りはじめました。

これから先も迷うことがあるかもしれません。しかしテイラーの心は安堵（あんど）で満（み）たされていました。

たたり山を下りながら、テイラーが最初に訪（たず）ねる場所は決まっていました。私とテイラーが出会ったのは、その場所でした。

テイラーは私を見ると、うれしそうに近づいてきてこう言いました。

「次はきみの人生について聞かせてくれるかな？」

これは途方（とほう）もない、はじまりの物語。

fin

Episode 12　帰還

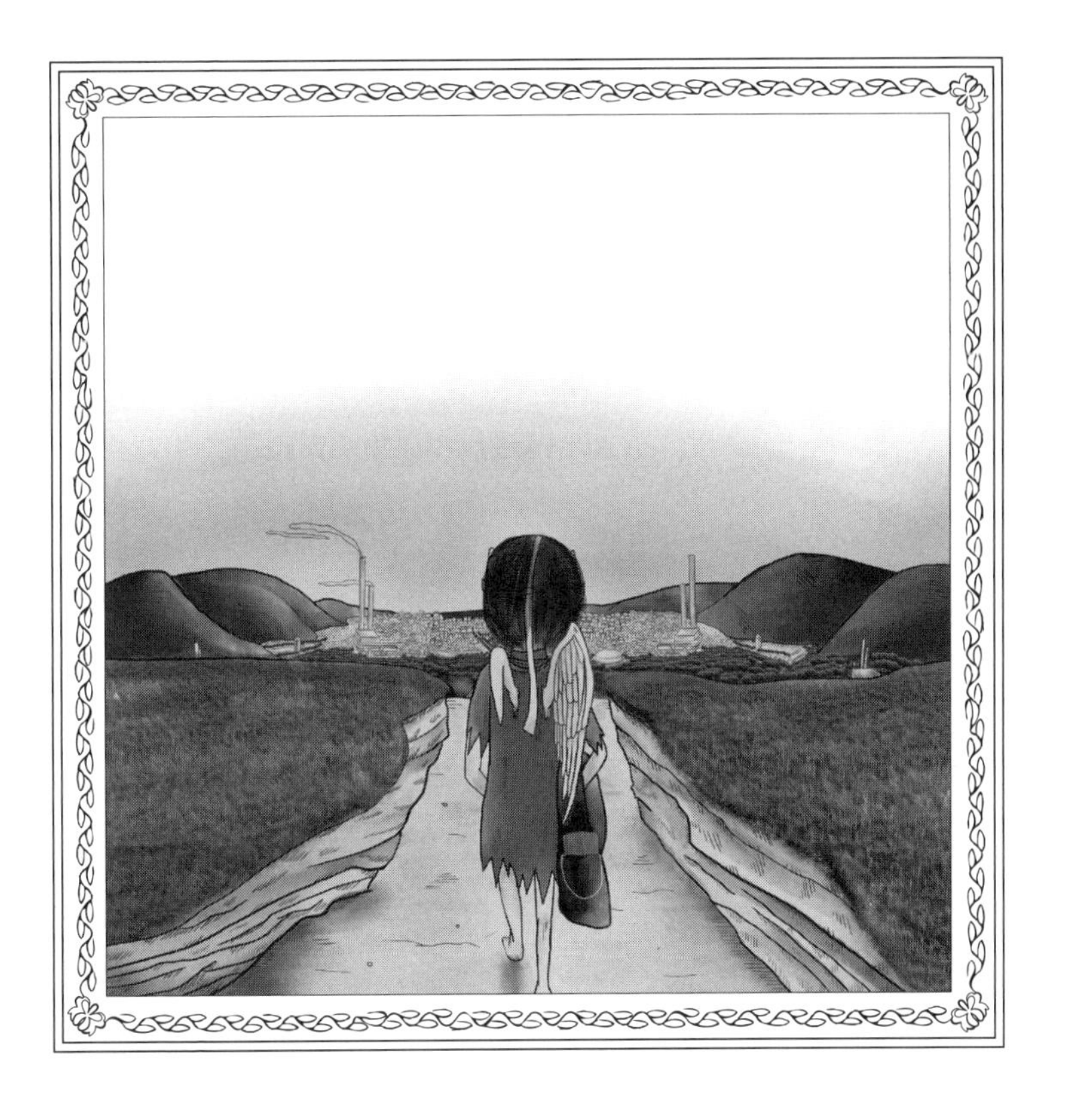

あとがき

After Story

本書を手に取ってくれたあなたへ。

まずはこうしてテイラーと出会ってくれたことに、感謝の気持ちを伝えさせてください。ありがとうございます。

私たちの人生の中には、時に想像もできないほどの苦しい出来事が起こることがあります。感じる痛みは一人ひとり違っていて、自分の痛みを他者の痛みと比べることは不可能です。痛みに真っ正面から向き合える人もいれば、テイラーのように自分や他者を傷つけてしまう人もいる。痛みの受け止め方も、感じ方も、そしてその向き合い方も人それぞれで、それが本書を執筆する上での大きなテーマになりました。

本書に出てくる登場人物たちには、それぞれの悩みや苦しみがあります。いじめや差別、自分らしさとの葛藤や、家族やパートナーへの複雑な感情、また自分の価値への疑問……。表出化されたテーマには個別の違いがありますが、実はそれらの根底には共通のものがあります。

それは、「孤独」です。

テイラーもまた、彼らと同じように孤独を抱える存在でした。そしてその「孤独」が互いの共通項となり、物語は展開していきます。

人生というのは必ずしもハッピーエンドではありません。痛みが消えていかないことだってある。ひとりぼっちとひとりぼっちが一緒になっても、その寂しさのすべてを埋め合うことはできません。でも、「ふたりぼっち」として背中を寄せ合うことはできるのです。結果的にそれが救いになったとしても、テイラーは無理には相手を変えようとも支えようともしていません。テイラーはテイラーのまま、ただそばにいるだけです。劇的な変化やハッピーエンドが待っているわけではなく、それぞれの人生が交わり、そして離れていく。それこそが「生きていく」ということなんだと私は考えています。

じんわりとした人生の重みを感じながら、今日も明日も生きていく……それが耐えがたいこともあるかもしれない。傷ついた場所から離れる人もいれば、そこに戻っていく人だっている。しかしひょんなことで誰かの人生と交わり、その重みに変化が生まれたり、新たな選択肢を見つけられたりすることもあるかもしれない。そんな希望を、少しだけ含ませてみました。

ひとつだけお伝えしておくと、この本はフィクションです。さまざまなところに、あなたに伝わらないようなかたちで、仕掛けをしています。そこには私が臨床心理士であることも関係しています。傷つき、痛みに気づき、そして自分を受容していくプロセスの中で、私の持っている専門性が生かされている部分もあるかもしれません。同時に、専門家として見たときに、テイラーの対話や行動が「間違っている」

と感じる箇所もあります。それでもあえて書き記したのは「正解」がすべてではないからです。きれいに整理整頓された言葉よりも、迷いのある泥臭い言葉に救われることはあります。吟味された対応をしてくれる人よりも、乱暴にでも手を取って、一緒に逃げてくれる人に救われる場合もある。もちろんそれが「すべて」でもありません。人生を指南するわけでも、悩みを解決してくれるわけでもない。でも一緒に笑ったり泣いたり、壊したり逃げたり、側にいてくれるだけで「ひとりじゃない」と思えることもある。ただそれだけでは足りないパートには、私なりの知見を生かしている箇所もあります。

この本を読んでなにを感じるか……それは人それぞれです。時には読む手を止めてしまう瞬間もあるかもしれません。すべてを読みきれないこともあるかもしれない。著者の私ですら、書いていて苦しい瞬間が多々ありました。途中で表現を変えたり、結末を迷ったりしたエピソードは少なくありませんでした。「これでよかったの？」と自問自答をすることもありました。専門家としての観点から説明できる箇所もありますが、基本的な解釈はあなたに委ねようと思います。

本書で語られるエピソードを〝ありがち〟な話として捉えた人もいるかもしれませんし、登場人物に自分の痛みを重ねた人もいるかもしれません。彼らと同じ痛みを抱えている人もいれば、違う痛みを抱えている人もいます。しかしあなたが「苦しい」と感じたことは「苦しい」のまま、大切にしてあげてください。その苦しみに蓋をしたり、脚色を加える必要はありません。あなたの感じたものを誰かと比べたり、重みを量ろうとする必要もありません。

テイラーはサザンカに「きみはきみのまま、自由になっていい」と伝えました。あなたはあなたのままで生きていっていい。あなたがあなたのままでいることに、誰の許可も得なくていいのです。もしもあなたに、心の翼の羽根をむしりとってしまいたいときがきたら、再び本書を開いてみてください。この本はあなたとともにあります。絶対にあなたを否定しない形で、テイラーがあなたのそばにいてくれることを願っています。

２０２１年11月吉日
みたらし加奈

へ

お手紙を書いてみましょう。
大切な人に宛てたものでもいいですし、
自分自身へのメッセージでもいいかもしれません。
あなたの想いを伝えてみてください。

Profile

みたらし加奈

臨床心理士。総合病院の精神科で勤務したのち、ハワイへ留学。帰国後は、フリーランスとしての活動をメインに行いつつ、SNSを通してメンタルヘルスの情報を発信。現在は一般社団法人国際心理支援協会所属。性被害や性的同意についての情報やメッセージを伝えるためのメディアを運営するNPO法人『mimosas（ミモザ）』の副理事も務める。著書に『マインドトーク あなたと私の心の話』（ハガツサブックス）がある。

Twitter　@mitarashikana
Instagram　@mitarashikana

テイラー　－声をさがす物語－

2021年12月25日　第1刷発行

著者／イラスト　みたらし加奈

デザイン　坂井恵子
校閲　ぴいた
写真　尾藤能暢

発行者　千吉良美樹
発行所　株式会社ハガツサ
〒158-0094 東京都世田谷区玉川2-21-1-8F CATALYST BA
電話　03-6313-7795
https://hagazussabooks.com

印刷・製本　株式会社シナノパブリッシングプレス

ISBN978-4-910034-09-6 C0011